S0-BHS-863

La Cour des Dames - 3

Madame Catherine

Du même auteur
aux Éditions J'ai lu

La Cour des Dames - 1
LA RÉGENTE NOIRE
N° 8665

La Cour des Dames - 2
LES FILS DE FRANCE
N° 8947

Franck
FERRAND

La Cour des Dames - 3
Madame Catherine

ROMAN

Pour Marie,
Clara et Thomas,
quand ils en auront l'âge.

« Vengeance, colère, amour, inconstance, légèreté, impatience, précipice, déplacent les plus braves pour les plus beaux. (...) Peu sert en France de savoir les batailles et assauts, qui ne sait la Cour et les dames. »

Gaspard DE SAULX DE TAVANNES

Notice

C'est le lot des grands rois que de laisser, en disparaissant, un vide impossible à combler. Avec la mort de François Ier et l'avènement d'Henri II, la France bascule ainsi dans l'instabilité. À la Cour, triomphent les milieux dévots qui, dans l'entourage d'Henri dauphin, avaient si longtemps guigné le pouvoir. Ivres de leur importance toute neuve, ils se laisseront emporter dans un tourbillon de luxe et d'ostentation. Rarement la France aura été si pauvre ; rarement ses chefs auront tant dépensé.

Quoique son épouse, Catherine de Médicis, lui ait assuré – sur le tard – une descendance inespérée, le roi Henri demeure entiché de sa vieille favorite, Diane de Poitiers, qu'il titre duchesse de Valentinois. Pour cette femme de tête, le temps de la revanche est donc venu. Les nominations et les grâces, les vastes chantiers, jusqu'à certaines orientations du Conseil en fait de guerre ou de diplomatie : tout passe désormais par elle ; son pouvoir atteint des sommets.

On vantera, dans les siècles suivants, l'empire de Diane sur les architectes, les artistes et les poètes de la « deuxième Renaissance » ; il ne faudrait pas négliger pour autant la part politique, combien plus sombre, de son influence. Or, sous l'égide de cette plus-que-reine, deux partis se disputent la faveur du nouveau maître.

Celui du connétable de Montmorency, plus ou moins fidèle au souvenir de la régente Louise, continue de prôner l'entente avec les Habsbourg ; mais le vieux sanglier se trouve gêné aux entournures par la méfiance de Diane à son encontre, et par l'adhésion d'une partie de sa famille à la Réforme.

Face à lui, le clan des Guises connaît une ascension fulgurante. Eux se veulent les champions du catholicisme. Forts de leur étroite parenté avec la reine d'Écosse Marie Stuart, fiancée tout enfant au dauphin, le duc de Guise – fameux par sa balafre – et son frère, le sémillant cardinal de Lorraine, vont pousser leur avantage de bataille en traité, de conflit d'influence en révolution de palais. Leur grande affaire sera la reprise de la guerre en Italie, si coûteuse et si peu rentable... Le Trésor achèvera de s'y épuiser.

Les difficultés du roi de France font évidemment l'affaire de ses ennemis, à commencer par le vieux Charles Quint, roi d'Espagne et empereur germanique – il finira par abdiquer ces couronnes en faveur de son fils, Philippe, et de son frère, Ferdinand ; à ses yeux, la lutte contre les protestants d'Allemagne n'en reste pas moins prioritaire. En Angleterre, la posture schismatique d'Henry VIII se maintient sous Edouard VI, avant le revirement sanglant du règne catholique de Marie Tudor.

Mais en dépit de l'ancrage des grandes monarchies dans le giron de l'Église romaine – alors en plein concile – le courant religieux qui, né de Luther, s'est amplifié avec Calvin pour gagner l'Europe de l'Est et du Nord, est en train d'infiltrer le royaume de Saint Louis. Des foyers de Réforme s'y constituent un peu partout, au grand dam d'Henri II et de ses conseillers, qui ne savent opposer à cette poussée qu'une répression aveugle.

De tels défis politiques, militaires et surtout religieux, appelleraient les soins d'un monarque aux qualités exceptionnelles ; or celles du roi Henri, bien qu'indéniables, ne dépassent guère l'honnête moyenne... C'est tout le drame d'un règne hautement contrasté, où les plus brillantes manifestations d'une culture à son apogée n'accompagneront jamais qu'une série de crises, de désastres et de calamités. Avec, au bout du chemin, cette embarrassante question : pourquoi, mais pourquoi diable, l'Histoire a-t-elle voulu les imputer, en gros comme en détail, à la reine Catherine ?

Les personnages

— Henri II, roi de France depuis 1547 (né en 1519).

— Catherine de Médicis, reine de France, son épouse (née en 1519).

— François, fils aîné des précédents, dauphin (né en 1544).

— Marie Stuart, reine d'Écosse, fiancée au précédent (née en 1542).

— Diane de France, fille naturelle légitimée du roi (née en 1538).

— Diane de Poitiers, duchesse de Valentinois (née en 1500).

— Anne de Montmorency, connétable de France (né en 1493).

— François de Montmorency, fils du précédent (né en 1530).

— François, ancien comte d'Aumale, duc de Guise (né en 1519).

— Charles de Guise, cardinal de Lorraine, frère du précédent (né en 1524).

— Jacques d'Albon de Saint-André, favori du roi (né en 1512).

— Lady Jane Flemming, gouvernante de la reine d'Écosse (née vers 1520).

— Godefroy du Barry, seigneur de La Renaudie, dit La Forest (né vers 1518).

— Vincent Caboche, secrétaire à la chancellerie (né vers 1536).

— Jean de Ferrières, seigneur de Maligny, gentilhomme réformé (né en 1520).

— Gautier et Simon de Coisay, gentilshommes picards (nés en 1501 et 1504).

— Françoise de Coisay, fille de Gautier (née en 1535).

— Nanon, servante des Coisay (née vers 1500).

Prologue

Le tailleur

(Juin-Juillet 1549)

— C'est la demeure du règne qui vous est commandée, mon ami ; pas le manoir d'un commis aux vivres ! La favorite ne cachait pas sa déception.

— Voyez cet accès, sur la droite ; j'y aurais aimé quelque portique, voire un arc de triomphe – pas ce vulgaire portail de ferme ! Quant aux galeries, là derrière, elles sont bien trop étriquées ; on dirait un cloître miteux... Allons, monsieur, fabriquez-nous de la grandeur ! Ce que je vois ici n'est digne ni de moi, ni de vous.

Joignant le geste à la parole, elle renversa le petit portail de bois peint qui, sur la maquette, figurait l'accès prévu aux nouveaux offices d'Anet. De L'Orme s'inclina, ravalant la colère d'un homme furieux contre lui-même : il eût mieux fait, cent fois, de suivre sa première idée.

En tant qu'architecte de la Cour, il aurait dû savoir, pourtant, que depuis deux ans – depuis l'avènement du roi Henri II – rien n'était trop beau, ni trop grand, ni trop somptueux pour Diane de Poitiers. Investie de pouvoirs infinis, dotée de moyens qui ne l'étaient pas moins, la toute nouvelle duchesse de Valentinois voulait en imposer en tout, à tous.

— Je vous donne trois jours pour me tirer cela vers le haut.

Sur quoi elle délaissa la galerie basse et, traînant dans son sillage une escouade de serviteurs cousus d'or, grimpa le fin escalier menant à ses appartements.

Lors des séjours de la Cour à Paris, Diane ne résidait pas à l'hôtel royal, mais tout près de là, chez elle – dans cet « hôtel neuf d'Étampes » édifié sous le précédent règne pour son ennemie Anne d'Heilly, et qu'elle avait récupéré sans scrupule parmi tant de dépouilles de l'ancienne favorite... Elle n'en sortait guère que pour se rendre à la pouponnière ; car depuis deux générations, elle veillait en personne à l'éducation des Enfants de France. Pour le reste, c'étaient les autres qui venaient à elle. À commencer par le monarque.

Deux fois par jour au moins, avant le Conseil et après son dîner, le roi Henri accourait ponctuellement chez sa belle, tout pétri de fervents hommages ; et très souvent le soir, c'est auprès d'elle – ou mieux : dans ses bras – qu'il venait terminer la journée. Qu'elle eût dix-neuf années de plus que lui ne semblait pas le déranger... Il est vrai qu'à près de cinquante ans, Diane avait su demeurer superbe ; le temps paraissait n'exercer sur elle aucune prise ; et l'Europe entière s'étonnait du prodige de ce visage, de ce corps que nulle ride, nul affaissement ne paraissaient vouloir atteindre.

« C'est la méchanceté qui la conserve, assuraient les mauvaises langues. La méchanceté, et puis l'appât du gain... »

La duchesse pénétra dans la bibliothèque où, quatre fois la semaine, se retrouvaient ses notaires, ses greffiers, son capitaine-châtelain et plusieurs de ses juges-lieutenants. Un intendant l'accueillit, non sans nervosité, pour un de ces inventaires qui la payaient de toutes les vilenies.

— Nous recevons à l'instant de Chenonceaux l'état que Madame attendait.

Diane demanda la substance du rapport.

— Ils ont récolté l'an passé pour soixante-cinq boisseaux de noix, et trente et demi d'amandes ; quant aux quarante arpents de bois coupés, ils ont donné deux cent soixante livres.

— Combien de poinçons de vin ?

— Vingt-neuf, madame, si je ne me trompe ; et un quart de verjus.

— N'est-ce pas là bas que nous devions vendre une ou deux bêtes, trouvées errantes sur le domaine...

— En effet, madame : une jument et un petit mouton ; ils ont été mis aux enchères au début de ce mois. J'ai le rapport quelque part...

L'homme fouilla fébrilement dans les papiers qui s'amoncelaient devant lui. Mais l'esprit de Diane roulait déjà sur un procès intenté, en pays diois, à deux de ses voisins, et dont elle attendait une forte somme. Amasser des espèces sonnantes était ce qui lui procurait les émotions les plus douces – surtout lorsque les rentrées s'effectuaient au détriment d'autrui, l'éclat de la victoire rehaussant alors la félicité du gain.

— Où en sommes-nous de l'affaire de Crest ?

Un greffier bondit de sa sellette et vint présenter à la duchesse un compte rendu détaillé de la première audience. Éloignant de ses yeux les feuillets de justice, Diane tira de ses robes une admirable petite lorgnette en or, sertie de brillants. Ainsi put-elle lire les derniers paragraphes. À la voir ainsi, sérieuse et concentrée dans son ample robe noire, si noire, liserée de blanc très blanc, il était impossible de ne pas se rappeler la régente Louise, mère du défunt roi François. Du reste, Diane se faisait, comme elle, appeler « Madame » à la Cour ; Madame sans rien derrière.

— Ces gens-là ne seraient-ils pas protestants ? demanda-t-elle à propos de la partie adverse.

— C'est justement ce que nous vérifions, précisa le greffier, un mauvais sourire aux lèvres.

L'aversion de la duchesse envers les Réformés était sincère et même profonde ; simplement, elle se doublait ici de considérations moins avouables... Diane se faisait fort, en effet, d'obtenir du Conseil rétrocession, à son profit, des biens et domaines confisqués par la couronne aux familles d'hérétiques.

— Le roi, madame ! vint annoncer un page essoufflé.

Diane leva les yeux vers la porte qu'on ouvrait à deux vantaux pour livrer passage au monarque. Henri, dont le visage était naturellement sombre, lui parut plus taciturne encore que de coutume.

— Je m'en voudrais de vous déranger, m'amie.

— Sire, aucunement.

Elle s'était levée pour esquisser une révérence qu'il interrompit d'un geste courtois.

— Je viens d'apprendre une nouvelle assommante.

Le roi soupirait lourdement, comme lorsque, à la chasse, il lui arrivait de perdre trace du gibier.

— Figurez-vous qu'il se trouve aujourd'hui de mauvais Chrétiens jusque dans l'atelier de mon tailleur ! Non mais, croyez-vous que nous viendrons un jour à bout de cette engeance-là ? Chez mon tailleur, madame !

— Un malheureux ouvrier séduit par quelque tête folle...

— Le résultat est là. Le mal progresse. Il se rapproche.

D'une main adroite, Diane se saisit d'une petite pyramide de cerises confites, qu'elle passa sous le nez du roi ; il en picora deux ou trois sans même s'en rendre compte. De l'autre main, elle l'entraînait jusqu'à la pièce voisine – une sorte de boudoir où ils s'étaient retrouvés, naguère, pour un entretien langoureux... Elle referma elle-même la petite porte vernie, posa les cerises sur une crédence et passa doucement le bout de ses longs doigts dans la barbe, tellement soignée, et dans les cheveux du roi.

— Henri, le calma-t-elle ; vous vous échauffez pour bien peu de chose.

— Ah, vous trouvez !

— Un ouvrier s'est laissé gagner à l'hérésie : la belle affaire...

— Chez mon propre tailleur ! Si près de nous !

— Profitons-en pour lui prêcher la bonne parole !

— La bonne parole ?

— Vous souvenez-vous de ce que disait, pas plus tard qu'hier, le cardinal de Lorraine ? « C'est par la raison, plus que par la force, que nous ramènerons les brebis égarées jusqu'au bercail. »

Diane déposa un baiser sur les lèvres royales.

— Montrez-vous bon pasteur : convoquez ce méchant tailleur et faites-lui savonner la tête par une de nos grandes consciences. Pourquoi pas l'évêque de Mâcon ? Je gage qu'il y ferait merveille.

— Vous croyez ?

Il soupirait de plus belle.

— J'avoue que l'idée n'est point sotte, et que je serais curieux de voir un de ces esprits forts confondu par un bon prêtre.

— Fort bien. Montons cela au plus vite !

❈

La semaine suivante, tout ce qui comptait à la Cour s'entassait dans la chambre de la duchesse de Valentinois pour assister à la joute oratoire entre un prélat de haut vol, Mgr du Châtel, et ce fameux ouvrier tailleur dont l'hérésie avait froissé le roi. La pièce était bondée, il y faisait chaud, et l'on tenta plusieurs fois d'ouvrir les fenêtres vitrées pour laisser entrer un peu d'air ; mais la foule, pesant sur les battants, rendait l'opération impossible.

C'est Henri lui-même qui lança le débat, donnant la parole à l'évêque pour une entrée en matière qui, d'emblée, prit le tour d'une homélie dans les formes. Le prélat, trop heureux sans doute de prêcher devant la Cour, avait soigné ses effets. Il évoqua pêle-mêle différents sacrements, le pèlerinage à la Vierge, les miracles des saints, le pape, vicaire de Dieu, et les vertus de la génuflexion...

— Quelle soupe nous servez-vous là ? finit par l'interrompre le tailleur, sur un ton peu usité à la Cour.

— Mon fils, se raidit l'évêque, le respect que vous devez à ma robe vous interdit…

— Je suis venu ici débattre de la foi, et point épiloguer sur vos jupons brodés !

L'audience pouffa malgré elle, malgré le roi. Le prélat, désarmé par tant d'effronterie, ne sut reprendre le fil de son bel exposé. Et c'est ce qui donna l'avantage au « religionnaire ».

— Mon bon sire, reprit le petit tailleur en tournant vers le roi un œil sombre et vif, il est temps que Votre Majesté admette que tous ces jeux, toutes ces grand-messes, tous ces banquets enfin que les gens d'Église, obéissant au pape, multiplient partout à dessein, ne sont que des moyens voulus par Satan pour détourner les gens de la seule vérité : celle des Évangiles.

— Il suffit ! coupa le roi.

Henri souhaitait rendre la parole à l'évêque, mais celui-ci, décidément troublé, ne trouva rien de mieux à dire que « Pardonnez-lui, Seigneur ! ». Alors Diane, qui voyait avec épouvante se profiler une humiliation nouvelle, digne du coup de Jarnac*, sortit de sa réserve première et, s'approchant de l'insolent jusqu'à le dévisager, lui demanda comment il osait, lui, simple ouvrier, tenir tête à des docteurs et à des princes de l'Église qui, depuis tant de lustres, compulsaient les Écritures.

---

* Voir *Les fils de France*.

NB : Vous trouverez dans ce récit deux types de notes. Celles qui se trouvent en bas de page sont des indications immédiates, tandis que d'autres – apportant des précisions historiques – sont rassemblées en fin d'ouvrage.

Le tailleur l'arrêta net. D'une voix soudain forte et dure, il s'en prit nommément à la duchesse.

— Madame, lança-t-il de tout son cœur, contentez-vous d'avoir infesté la France de votre venin, sans venir mêler votre ordure à des choses aussi saintes, aussi sacrées que la Vraie Religion de Notre Seigneur Jésus-Christ !

Après un instant de silence, une sourde rumeur envahit la chambre. Les courtisans n'étaient pas habitués à tant de rudesse, et dans leurs yeux, sur leurs traits, se lisait un mélange d'effroi, d'opprobre et, visiblement, d'excitation…

Le roi serra les mâchoires. Il venait de recevoir cette diatribe comme une atteinte personnelle, comme le plus cinglant des coups portés à sa majesté. Il s'était raidi, arborait un teint rouge sombre, mais s'efforçait malgré tout de conserver un air digne.

— Qu'on s'empare de lui, finit-il par ordonner d'une voix atone et tremblante, où affleurait la colère.

On évacua « le suppôt de l'hérésie » – comme devait le qualifier plus tard l'évêque de Mâcon… Désespérément, Diane de Poitiers fit assaut de plaisanteries, en vue de minimiser l'impact effroyable de l'injure qu'elle venait d'essuyer en public. Mais elle savait bien, en elle-même, que le mal était fait, et que certaines flétrissures étaient impossibles à effacer.

❁

Le début de juillet fut marqué par de grandes fêtes à Paris. La capitale entière pavoisait au chiffre de la reine, couronnée quelque temps plus tôt ; aux démonstrations d'artillerie succédèrent d'impressionnants combats navals sur la Seine, aux grands défilés d'allégories multicolores, des feux d'artifice magnifiques et autres illuminations.

Des lices pour les joutes avaient été bâties devant les Tournelles, sur l'imposante rue Saint-Antoine, dépavée tout exprès de la rue Saint-Paul à la Bastille. Les tribunes de la reine, sur la façade de l'hôtel royal, et celles des juges d'armes, sur celle de l'hôtel de Granville, rivalisaient de splendeur en tentures, en broderies, en oriflammes... Des passes grandioses s'y donnèrent, où le roi lui-même vint plusieurs fois défier les tenants du tournoi.

Cependant, mêlées au programme, l'exécution publique d'un grand capitaine – accusé d'avoir abandonné Boulogne aux Anglais – et l'ouverture d'une chambre ardente au Parlement de Paris – visant à punir les Réformés –, firent planer sur les réjouissances comme un parfum de soufre. Ainsi la journée du 4, commencée par une procession solennelle, devait-elle aboutir à la livraison aux flammes de plusieurs hérétiques.

On avait dressé cinq bûchers, rien que sur la place de Sainte-Catherine, le long des Tournelles. Celui réservé au tailleur trop bavard se trouvait au plus près du vieux palais. À la tombée du jour, on vit le roi s'installer à l'une des fenêtres ouvertes en surplomb, dans la compagnie de quelques gentilshommes et de sa favorite ; Diane se voulait d'humeur joyeuse et badine.

— Voyons comment crame notre insolent ! gloussa-t-elle en se faufilant parmi les seigneurs.

Le malheureux ouvrier, ligoté par des chaînes à un poteau massif, s'abîmait dans les psaumes. Tandis qu'on enduisait de poix ses hardes, il conserva le menton sur la poitrine, les yeux baissés vers le bûcher. Dans son dos les bourreaux, sur un signe des juges, étranglèrent ses quatre coreligionnaires – mais pour le tailleur, c'est vivant qu'il devait affronter les flammes. Du reste, les aides avaient déjà mis le feu aux fagots de petit bois.

— Ses acolytes, expliqua Diane, ont eu la faiblesse – plutôt la sagesse – de se rétracter à temps. Aussi jouissent-ils du merveilleux privilège d'être garrottés*. Mais pour celui-ci...

Diane fit une grimace qui aurait pu passer pour de l'empathie, mais n'avait pour objet, en vérité, que de détendre la compagnie.

En bas, l'ouvrier tailleur grimaçait aussi. Le feu qui, déjà, lui attaquait la peau, l'assaillait de douleurs affreuses. Alors il releva la tête et, sans lâcher une plainte, se mit seulement à défier le roi, en personne, d'un regard noir et fixe. Henri s'en émut.

— Il m'implore, mon Dieu ! Mais que veut-il, à me scruter ainsi ?

— Maudit chien d'hérétique, siffla Diane dont les traits s'étaient figés en un masque d'exécration.

— Mais que veux-tu ? Que me veux-tu, à la fin ? hurla le roi à l'adresse du condamné qui, enveloppé d'un nuage de fumée grise et grasse, conservait, en dépit de souffrances indicibles, les yeux rivés sur ceux du souverain.

— Au vrai, cette odeur de grillé m'indispose, finit par prétexter Henri pour déserter la croisée.

---

* Étranglés, à la mode espagnole.

Plusieurs gentilshommes le suivirent à l'intérieur, trop heureux d'écourter la séance. La duchesse, elle, demeura inflexible, impavide dans le jour déclinant ; elle espérait vaguement que le supplicié allait la défier à son tour, tourner son affreux regard vers le sien, plus hautain que jamais.

Mais le vaillant petit homme ne lui fit pas cette grâce.

Lorsqu'il sentit que le roi battait en retraite, il laissa retomber sa tête en avant ; peut-être était-il en train de rendre l'âme... À voir ce que les flammes faisaient à présent de lui, de sa chair, de ses os qui craquaient, n'importe qui aurait voulu le croire.

— Chien, sale chien d'hérétique, maugréa derechef, toute à sa haine, la duchesse de Valentinois.

⁂

Pendant les deux ou trois nuits qui suivirent ce pénible épisode, Henri s'éveilla plusieurs fois en sursaut, hanté par le spectre de l'ouvrier tailleur, incapable de fuir cet œil – cet œil fixe comme le regard de Dieu sur Caïn. Aussi le jura-t-il solennellement : jamais plus on ne l'obligerait à honorer de sa présence le plus petit autodafé.

Chapitre I

La belle Écossaise

(Été 1550)

Château de Saint-Germain-en-Laye.

Le nourrisson, tout frais et rose, babillait dans son berceau de broderie, sous un dais que supportaient des Renommées* de bois doré. Il avait repoussé son drap et s'amusait avec un de ses pieds, qu'il agitait par saccades. Charles-Maximilien[1] était le cinquième enfant du couple royal ; sa mère, la reine Catherine, l'avait mis au monde quelques jours plus tôt, à l'issue d'un long et pénible travail. Aussi devait-elle garder le lit.

— N'aurait-il pas un peu les yeux du roi ? demanda le connétable Anne de Montmorency, penché sur le petit être à la façon de l'ogre des contes.

Il se ravisa.

— Non, l'on ne saurait dire…

À près de soixante ans, le vieux dignitaire, alourdi par son embonpoint, cultivait une apparente muflerie pour mieux dissimuler sa

---

* Figures allégoriques, généralement porteuses d'une longue trompette.

finesse et lui conserver une efficacité intacte. Du reste la reine, habituée à ses fausses maladresses, ne releva même pas celle-là.

— Combien d'enfants Mme de Montmorency vous a-t-elle donné ? demanda Catherine.

— Douze, ma foi ! Je veux dire : douze qui auront vécu et qui, d'ailleurs, sont encore tous de ce monde. La petite dernière n'a pas quatre ans…

Il se signa, et s'approchant du lit de la souveraine, eut le geste aimable de rattacher une embrasse défaite. À la vérité, le connétable n'était pas venu seulement pour la courtoisie ; il avait à se plaindre, une fois de plus, de la favorite en titre, et savait qu'il trouverait chez sa rivale naturelle une oreille complaisante.

— Voilà maintenant qu'elle s'est cassé la jambe, lâcha-t-il sans avoir à nommer la personne.

— À Romorantin, n'est-ce pas ? Il faut dire, aussi : monter encore à son âge !

— Oh, elle nous enterrera tous. Enfin… Vous, peut-être pas… Songez donc que je la connais depuis bientôt trente ans !

Il soupira.

— Trente ans durant lesquels elle n'a du reste pas changé, pour ainsi dire.

— Peut-être, mais à présent, elle ne tient plus en selle.

La reine s'en voulut de ce qui aurait pu passer pour de la méchanceté. Le connétable saisit la balle au bond.

— Justement : je me demandais si le moment ne serait pas venu de désarçonner tout de bon cette amazone un peu mûre. Peut-être pourrait-on trouver moyen de lui faire perdre l'équilibre…

Catherine de Médicis dévisagea Montmorency comme s'il venait seulement d'entrer. Elle s'apprêtait à l'encourager dans ses mauvaises intentions quand une dame d'honneur survint, tout émue, pour annoncer la reine d'Écosse et sa suite. Le visiteur s'assombrit.

— Aïe ! fit-il. Je n'ai même pas le temps de m'éclipser !

❊

La petite Marie Stuart[2] entra dans la chambre, sûre d'elle et gracieuse du haut de ses huit ans à peine. Elle se fendit d'un adorable sourire et, limitant l'étiquette à presque rien, esquissa une légère courbette avant de venir embrasser tout bonnement celle qu'on lui assignait pour belle-mère. Car depuis son arrivée en France, deux ans plus tôt, la jolie Marie était fiancée au dauphin François, plus jeune qu'elle encore, et nettement moins déluré.

— Comment se porte ma bonne-mère ? demanda-t-elle sans une pointe d'accent.

— Je vous l'ai dit cent fois : c'est à moi à vous parler d'abord, fit remarquer la reine.

— Pardon : je suis tellement impatiente de vous savoir remise !

L'assistance applaudit à ce mot ; il est vrai qu'elle était tout acquise : hormis ses nains et demoiselles d'honneur, Marie n'était suivie que de sa gouvernante et de son oncle, François de Guise – celui qu'une terrible balafre, gagnée au siège de Boulogne, avait rendu célèbre dans toute la chrétienté.

— Madame, plastronna le duc, que Votre Majesté excuse l'empressement de ma nièce ; c'est le pendant de sa vivacité !

Et sans laisser à la souveraine le temps de répondre, il vint se ficher droit devant Anne de Montmorency.

— Votre pape, lança-t-il sans aucun préambule, n'aura donc pas tardé à tourner casaque : le maréchal de La Marck l'a trouvé du dernier bien avec les amis de l'empereur !

— Le pape est votre pasteur autant que le mien, répondit avec calme un connétable que ce genre de saillie n'impressionnait guère. Cela dit, je ne crois pas que le lieu, ni le moment, soient choisis pour en débattre.

Le Balafré émit un grognement. Il en voulait beaucoup à son grand adversaire de s'être opposé, quelques mois plus tôt, à l'élection de son oncle sur le trône de saint Pierre ; or justement, le candidat[3] élu grâce aux manœuvres du connétable se révélait rien moins que loyal envers la France.

— Il se pourrait même que le concile[4] ne soit de retour à Trente avant longtemps ; n'est-ce pas très précisément ce qu'attendaient nos ennemis ?

— Qui a bien pu vous dire cela ?

— C'est Madame qui me l'écrit.

Catherine cilla. Certes l'habitude s'était répandue, à la Cour, d'appeler Diane « Madame », mais en général, les personnes de qualité s'en abstenaient chez la reine. Question de courtoisie.

Montmorency la vengea sur-le-champ.

— Alors vous êtes mal renseignés l'un et l'autre, articula-t-il. Car le nouveau nonce me promettait tout le contraire ce matin même.

François de Guise n'était pas homme à s'en laisser conter.

— Nous serons bientôt fixés... Mais sachez une chose, en tout cas : s'il devait s'avérer que, d'une manière ou d'une autre, votre ami del Monte – je veux dire : le Très Saint-Père – venait à nous trahir, vous en porteriez la responsabilité devant le roi.

— Je ne me soustrais jamais à mes devoirs. Contrairement à d'aucuns...

— À qui, par exemple ?

— Enfin, messieurs !

La reine, sidérée qu'on pût s'oublier à ce point devant elle, avait dû rappeler à l'ordre les deux chiffonniers. Ils firent l'effort, l'un comme l'autre, de ravaler leur rancœur. Cherchant une diversion, Catherine se crut obligée de complimenter la gouvernante de Marie.

— Lady Jane, dit-elle, à vous voir aussi radieuse, on ne s'étonne pas que votre petite maîtresse soit toujours épanouie.

La jeune femme remercia d'une sobre révérence. Il est vrai qu'elle possédait un divin port de tête, un teint sublime et les plus fascinants cheveux d'or rouge qu'on pût imaginer. Il flottait, tout autour d'elle, comme une impression palpable de grâce et de féminité.

Le connétable renchérit.

— La reine dit vrai, madame ; et le fait est que, si votre jeune maîtresse est notre rose d'Écosse, vous en êtes une autre. Assurément.

Nouvelle révérence, beaucoup moins sobre.

Le nourrisson s'étant remis à pleurer, Marie Stuart courut jusqu'au berceau.

— Puis-je le prendre dans mes bras ? demanda-t-elle avec un soupçon d'impatience.

— Je n'y tiens pas, répondit la mère. Vous êtes trop jeune. Mon fils n'est pas une poupée...

L'enfant n'insista pas. Mais lady Jane, pour l'avoir vue blêmir, sut tout de suite que ce refus l'avait blessée.

Château d'Anet.

Le cardinal de Lorraine passait pour l'homme le plus charmant de son temps. Son beau visage, tout en finesse, sa parfaite éloquence et ses manières exquises le faisaient regarder comme un exemple achevé d'homme de cour. Les plus grandes dames se disputaient l'honneur de le traiter ; et puisque le roi lui-même ne cessait de l'employer à diverses missions, il n'était pas un seigneur qui ne se fût glorifié de l'obliger.

Comme son frère aîné, le duc de Guise, et les autres membres de cette fratrie solidaire – mais avec plus de grâce, peut-être, ou moins d'efforts visibles – il semblait né pour gravir les degrés de la fortune jusqu'à des cimes vertigineuses. Ces dispositions ascensionnelles l'avaient tôt désigné à l'intérêt de Diane ; elle n'avait dès lors rien ménagé pour s'en faire mieux qu'un ami selon son échelle : un allié.

Le cardinal entrait volontiers dans ce jeu. Dès qu'il avait appris, par un courrier de Romorantin, sa chute de cheval et sa fracture à la jambe, il s'était mis en frais de billets alarmés, réclamant des nouvelles tous les jours et affectant de se régler sur l'horaire des messagers. La duchesse, sans être tout à fait dupe, feignait de croire à ces protestations de sympathie ; et quand elle se trouva suffisamment remise pour tenter, en litière, le voyage d'Anet, elle fit savoir à ce bon ami que sa visite, avant toute autre, lui serait d'un chaud réconfort. Aussi le cardinal se mit-il en route avant même qu'elle ne fût à demeure, et manqua-t-il de peu d'arriver le premier.

❈

— Je m'en serais voulu, dit-il sur un ton badin, de manquer cette occasion de vous revoir avant Sa Majesté elle-même ! Rendre le roi jaloux : n'est-ce pas là un motif de disgrâce ?

— En ce cas je veux bien partager votre exil, repartit Diane.

Ils inspectaient, portés tous deux en chaise à bras, le chantier de la chapelle que Philibert de L'Orme édifiait, à Anet, le long du vieux manoir des Brézé.

— Que vous semble de ces pilastres ? Un peu élevés, peut-être ? demanda-t-elle quand ils furent parvenus dans le chœur du futur édifice en croix grecque.

— Non... La hauteur est la bonne, c'est en largeur qu'ils sont peut-être un peu justes...

— Vous comme moi, nous aimons voir grand.

— Ce n'est pas nous qui voyons grand, chère Diane ; ce sont les autres qui font tout trop petit.

De loin, l'on eût dit deux idoles, l'une écarlate et l'autre noire, que l'on menait en procession. La duchesse de Valentinois se lovait dans ses coussins, comme amollie par la complicité.

— Mon cher Charles, minauda-t-elle alors que sa chaise évoluait un peu en avant ; que diriez-vous d'un monde conçu rien que pour nous ?

Le cardinal attendit que son accotoir vienne au niveau de celui de la maîtresse des lieux, et prit sa main dans la sienne, pour la baiser. Les deux pointes de sa barbe chatouillèrent un peu la duchesse.

— Un monde rien que pour nous ? Mais c'est déjà celui que nous construisons ! Envers et contre tous...

Elle hocha la tête avec grâce ; en dépit des années, elle conservait ainsi des attitudes d'un charme inouï... Le cardinal tenait toujours sa main, et les porteurs avaient grand soin de les maintenir l'un près de l'autre.

— Naturellement, concéda-t-il, tout serait plus facile sans les méchants qui multiplient les pièges sous nos pas...

Il ménageait son effet.

— Ainsi de M. le connétable. Vous étonnerai-je en vous disant qu'il nous prépare, en ce moment même, un de ses mauvais coups ?

Diane s'était redressée, tant bien que mal, dans sa chaise ; il insista.

— Un très mauvais coup, même ! Figurez-vous, chère Diane, que des personnes de toute confiance l'ont vu s'introduire de nuit chez la reine d'Écosse.

— Montmorency chez la reine d'Écosse ?

— Autant dire : chez une enfant !

— Mon Dieu, mais que vient-il y faire ?

— Je vous laisse l'imaginer… Faut-il que le barbon soit vicieux, tout de même, pour oser s'en prendre à la vertu d'une enfant ! À moins que ce manège n'ait un but plus politique…

Diane observait son ami du coin de l'œil, d'un air tout à la fois inquiet et fasciné.

— Après tout, expliqua le cardinal, ce personnage a toujours voulu du mal à ma famille… Il se dit peut-être qu'en jetant le discrédit sur notre innocente nièce, c'est toute notre maison qu'il flétrira.

— Ce que vous dites est ignoble.

— Mais c'est Montmorency qui l'est !

⁂

Sur un signe discret de leur maîtresse, les porteurs avaient repris le chemin du logis. Les deux chaises allaient toujours de concert, doucement ballottées comme par le flux d'une rivière.

Avant même d'aborder au perron, Diane avait échafaudé un plan.

— Je vais, déclara-t-elle à son ami, vous confier une certaine clé qui ouvre, chez la reine d'Écosse, la porte d'une resserre. Cette pièce donne elle-même sur le grand vestibule. Vous pourrez ainsi cacher commodément un espion dans la place, et vous renseigner plus avant sur les agissements du monstre.

Le cardinal de Lorraine l'enveloppa d'un sourire enjôleur.

— Pour un peu, dit-il, j'irais faire le guet moi-même.

— Pour un peu, je vous accompagnerais.

Château de Saint-Germain-en-Laye.

— Tu as bien compris ? demanda François de Guise.

— Oui, monsieur le duc.

— Vous ne vous tromperez pas d'appartement, insista Charles de Lorraine.

— Non, monseigneur.

— Et vous noterez le détail de tout.

— De tout.

— Fais-toi bien discret !

— J'essaierai...

— Comment cela, « j'essaierai » ?

François empoigna le jeune clerc par l'épaulement du pourpoint et, l'amenant dans le clair de lune jusqu'à son visage balafré, martela chaque mot de sa mise en garde.

— Fais-toi seulement repérer, maraud, et tu es un homme mort !

Le malheureux clignait des yeux comme un petit chien pris en faute.

— Ce garçon n'est point sot, estima Charles ; je suis certain qu'il s'acquittera fort bien de sa mission.

Il tendit au petit clerc une lampe à mèche ainsi qu'une bourse, pour prix de son travail ; Vincent Caboche bredouilla un remerciement. Il allait prendre congé quand le grand capitaine le figea sur place.

— Tu n'oublies rien ? grogna-t-il.

Le jeune homme, pour toute réponse, se contenta de déglutir.

— La clé, malheureux !

— Enfin, mon ami, s'impatienta le cardinal : réfléchissez, que diable !

Le duc lui remit la clé d'un geste hésitant, comme à regret.

— Tâche de ne pas nous décevoir, conclut-il avant d'entraîner son frère par le bras.

Tous deux disparurent dans la nuit.

⁂

Vincent se massa le ventre. Exécuter le plan des frères de Guise n'était pas sans risque ; mais d'un autre côté, s'il réussissait, nul doute que de vastes perspectives s'ouvriraient devant lui.

Il se mit un instant à couvert sous un appentis, et alluma sa petite lampe. L'ombre de sa tignasse hirsute fut alors projetée sur un mur ; il fit le geste de se recoiffer. Le petit espion attendit un peu, le temps de s'assurer qu'il n'était pas lui-même suivi. Puis il s'engouffra prestement, par la porte de service, dans le logis de la reine d'Écosse. Il franchit comme un chat les quelques marches indiquées, prit le couloir à main gauche, monta jusqu'à l'étage noble par un degré minuscule…

C'est alors que la réalité se dissocia de la description du cardinal : Vincent se trouvait en face, non pas d'une, mais de deux portes cloutées ! Il essaya la clé dans les deux serrures ; seule celle de gauche l'acceptait... Alors il débarra le vantail, le poussa non sans précaution et, comme prévu, tomba sur une resserre – en fait, une garde-robe. Il s'y engouffra, le cœur battant, écarta des étoffes pour se faire une place et, au fond de la petite pièce, découvrit un beau panneau marqueté qu'il entrebâilla. Pointant sa lampe au-delà, il put alors deviner les décors à fresque d'un somptueux vestibule.

Vincent se replia dans la garde-robe, éteignit la petite lampe et attendit. Combien de temps ? Cette veille lui parut interminable, et d'autant plus qu'isolé dans l'obscurité, il lui fallait lutter contre le sommeil ; mais après moins d'une heure, sans doute, il perçut du mouvement derrière l'huis principal : des visiteurs s'entretenaient avec les gardes. Vincent retint sa respiration et colla son œil au bord du panneau.

Trois personnages avaient pris possession du vestibule, dont un valet engoncé dans une cape, qui allumait les torches.

Le jeune clerc, depuis sa cachette, reconnut sans peine le plus imposant des deux autres : c'était, comme il s'y attendait, le connétable de Montmorency. Seulement le vieux sanglier n'était pas venu seul ; le suivait un seigneur de haute taille, emmitouflé lui aussi. Et lorsque ce gentilhomme défit son manteau brun, Vincent étouffa un juron. Le cœur au bord des lèvres, il fit même un bond en arrière.

« Le roi ! se dit-il. Le roi ? Est-il possible que le roi se fasse le complice du connétable et vienne déshonorer lui-même la petite reine Marie ? »

Cela paraissait tout à fait extraordinaire.

Vincent songea d'abord à s'enfuir, à oublier ce qu'il venait de voir. Mais aussi vite, il mesura l'importance du retournement, et la chance pour lui d'en être le témoin. L'idée de combler les frères de Guise – mieux : de les étonner – lui donna du courage. Et tandis que les visiteurs frappaient en gloussant comme des collégiens à la porte des appartements de Marie Stuart, le jeune intrus passa presque la tête au-dehors pour mieux les épier.

C'est la gouvernante qui vint leur ouvrir – ravissante Jane Flemming ! Cette beauté fit dans le vestibule une entrée d'elfe, ses cheveux défaits, ondulants, épars sur un déshabillé qui ne cachait rien de sa gorge ronde, blanche, admirable. À la stupéfaction de Vincent, elle fit des cajoleries au roi aussi bien qu'à son compagnon ; et les prenant chacun par un bras, les entraîna dans son sillage vers des chambres invisibles.

Un songe, voilà ce qu'il venait de vivre !

Ainsi donc, ce n'était pas la petite reine que Montmorency venait voir ; et dans toute cette affaire, lui-même servait avant tout d'entremetteur au roi en personne ! « Oh, lady Jane... »

Vincent se pinçait les lèvres. Délicatement, il referma sur lui le panneau marqueté de la garde-robe ; puis il ressortit comme il était venu, à pas de loup.

Jamais Mgr de Lorraine, jamais le duc de Guise n'allaient croire ce qu'il avait à leur raconter. Il se sentait dépositaire d'un grand secret, de ceux qui vous confèrent le pouvoir – quand ils ne vous broient pas.

Château d'Anet.

Confrontés à la vérité quant aux sorties nocturnes de Montmorency, les frères de Guise avaient pris aussitôt la mesure du péril. L'ambition du connétable était transparente : profiter de la convalescence de Diane pour jeter le roi dans les bras d'une nouvelle maîtresse, avec l'espoir qu'il finirait par se lasser de sa vieille duchesse et de ses alliés ! C'était tellement grossier que le cardinal de Lorraine s'en voulait de n'avoir pas vu le coup venir .

— Ce fieffé renard a bien failli nous posséder, remâchait-il comme une antienne.

Son frère avait dépassé le stade des lamentations.

— La chose urgente, à cette heure, est de mettre Madame au courant ; je doute en effet qu'avertie, elle se laisse évincer sans réagir...

❋

Les Guises avaient jugé le petit Caboche idéal pour cette nouvelle mission ; il était trop peu connu pour mettre en alerte les hommes du connétable, trop bien informé pour décevoir les besoins prévisibles de la duchesse en détails croustillants.

Et voilà comment, par une journée d'août grise et pluvieuse, un jeune clerc harassé gagna le bourg d'Anet à dos de mule. Il laissa son escorte à l'auberge, et prit seul, trempé, affamé, le chemin du château.

Diane le fit conduire droit à ses vastes cuisines flambant neuves et là, sans craindre de se mêler au personnel, vint elle-même, appuyée sur une canne d'ivoire, l'interroger tout à loisir. On avait installé la pelisse et le béret du garçon devant un grand foyer, dans l'intention de les faire sécher ; et tandis qu'il engloutissait, avec l'appétit d'un lionceau famélique, une nichée de cailles dans lesquelles il taillait à grands coups de dague, la duchesse de Valentinois revint cent fois à ce récit qui, curieusement, paraissait l'exciter autant qu'il la désolait.

Elle promenait son beau regard mauve, tout éploré, de la lettre signée « Lorraine » à ce messager trop jeune, dont le visage enfantin paraissait celui même du destin.

— Mon petit, fit-elle remarquer dans un accès de bienveillance, tu as les oreilles et le nez bien rouges ; il ne manquerait plus que tu tombes malade...

Vincent la rassura d'une moue et, d'un coup de paluche maladroit, affecta de recoiffer sa tignasse brune. La duchesse se retourna vers son intendant qui, penaud, venait de gagner les cuisines sur la pointe des pieds.

— Eh bien, où en sommes-nous ?

— Tout sera prêt, madame la duchesse, dans un quart d'heure, tout au plus. Mais encore une fois...

— Écoutez, mon ami : je me moque de savoir quelle heure il est, quel temps il va faire, et dans quelle phase se trouve la lune. Je dois être à Saint-Germain au plus vite ! Me suis-je bien fait comprendre ?

— Certainement, madame...

— Ai-je été claire ?

— Parfaitement claire.

— Bien. Alors, cessez de m'encombrer de vos mises en garde, et faites avancer ma litière.

L'intendant courba l'échine et détala comme un lapin.

❊

Diane relut, pour la dixième fois peut-être, les dernières lignes de la main du cardinal ; puis elle décocha au petit Caboche le plus fabriqué des sourires.

— Et donc, tu ne connais pas ce valet qui les accompagnait...

— Si, de visage. Mais encore une fois, je ne me rappelle plus son nom... Attendez : Griffon, peut-être ?

— Pierre du Griffon !

La duchesse hurlait à présent.

— Pierre du Griffon que j'ai fait et qui me doit tout ! L'ingrat, le misérable ver de terre ! Mon Dieu, mon Dieu...

Elle frappa le sol de sa canne – en fait une corne de licorne* dont Vincent ne parvenait pas

* Ce qui passait alors pour « corne de licorne » ne pouvait qu'être une dent de narval.

à détacher son regard. L'intendant rentra essoufflé, plus tendu que jamais.

— Madame la duchesse ?

— À présent, mon ami, j'exige – m'entendez-vous ? – que nous partions sur-le-champ.

— Mais… Fort bien : mettons-nous en route ; le reste suivra.

— C'est cela : le reste suivra !

Elle toisa Vincent d'un air courroucé, puis se dirigea vers la sortie.

— Viens-tu ? À moins que tu n'aies l'intention de dévorer toute ma basse-cour !

Le jeune clerc la fixa d'un air interloqué : se serait-il montré glouton, selon sa mauvaise habitude ? Il s'essuya les lèvres au revers de sa manche, récupéra ses vêtements toujours mouillés, et emboîta le pas claudiquant de la grande dame. Au fond, cette aventure l'amusait beaucoup.

Sainte Chapelle de Saint-Germain-en-Laye.

L'image du sanglier, qui collait à la peau du connétable de Montmorency, tenait – outre sa corpulence massive – à la réputation mêlée qu'il s'était acquise de brutalité militaire et de vigueur amoureuse. Accessoirement, elle se compliquait d'une piété sincère et diffuse, pouvant conduire le fidèle à certaines incongruités ; ainsi l'avait-on vu, en 1548, occupé de mater une révolte en Guyenne[5], interrompre son chapelet pour ordonner des exécutions capitales, puis reprendre sans ciller le cours de ses dévotions... « Dieu nous garde, avaient conclu les Bordelais, des patenôtres de M. le connétable ! »

⁂

La Cour étant à Saint-Germain, il saisissait, entre les conseils et les chasses, la moindre occasion de fréquenter la Sainte Chapelle, dont l'édification du château venait d'occulter la grande verrière, au couchant... Agenouillé sur un prie-Dieu qu'il écrasait sous son poids, il semblait alors s'abîmer dans une méditation profonde.

C'est là que vint le trouver, par une après-dînée orageuse et triste, la trop belle gouvernante de Marie Stuart. Lady Jane était une fille naturelle de l'ancien roi d'Écosse Jacques IV, que sa mère avait su marier, *in extremis*, avec un lord Flemming qui ne l'avait jamais encombrée. Sa beauté était si grande que, même camouflée sous un chaperon de linon gris, elle irradiait encore ; et ce fut comme si, à son entrée dans la chapelle, le chœur s'était trouvé baigné d'une autre lumière.

Elle s'agenouilla tout près du connétable, mais attendit, pour lui parler, qu'il l'eût repérée et saluée.

— Notre bon sire, lança-t-elle sans détour à voix basse, aura bientôt sujet d'être content. Les médecins n'osent se prononcer encore, mais il se pourrait bien que je sois... dans une position avantageuse.

Montmorency demeurait impassible ; au point que lady Jane se demanda un moment s'il avait bien entendu.

— Quand le saurez-vous fermement ? susurra-t-il enfin.

— Dans une semaine, ce sera tout à fait sûr.

Il y eut un nouveau silence.

— Je vous en parle, reprit-elle, comme à un homme que cela peut intéresser, et comme à l'instigateur de toute cette aventure.

Montmorency ne bronchait toujours pas. Mais au fond de lui, furieux, il se voyait saisir cette catin par les cheveux, la secouer jusqu'à lui arracher de longues mèches, la gifler tant et plus, la jeter à terre et la piétiner à l'envi.

— Vous me voyez un peu surpris, mais très heureux, dit-il seulement.

— Vous pourriez parrainer l'enfant, hasarda-t-elle d'une voix si fluette qu'elle était presque imperceptible.

« La charmante attention ! »

Le connétable – enfin – se tourna vers elle et sourit. Mais son regard ne suivait pas le mouvement de ses lèvres.

— Il ne faut pas encore que le roi sache cela, murmura-t-il. C'est trop tôt.

Ainsi donc, cette idiote allait tout gâcher. On la hissait à toute force dans le lit du monarque, et au lieu de saisir sa chance, d'envoûter le royal amant, de le retenir par tous les secrets d'une science amoureuse – au lieu d'en faire sa chose, en somme – elle se laissait engrosser comme la dernière des filles de ferme et, non contente de faillir, se faisait gloire de ce qui aurait dû la mortifier !

— Le roi est très attentif aux intérêts de ses enfants, dit-il ; quels qu'ils soient.

Il se garda bien de lui rappeler que, dans le cas de sa fille naturelle[6], l'enfant avait été choyée – par Diane... – et la mère, oubliée, comme rayée des tablettes.

— Pouvez-vous m'assurer, demanda candidement l'Écossaise, que le cas échéant, le roi reconnaîtrait son fils ?

— Ou sa fille... Là-dessus, lady Jane, vous avez ma parole.

La jeune femme parut satisfaite. Le connétable pensait qu'elle allait se retirer quand, au contraire, elle approcha son chaperon un peu plus.

— Évidemment, reprit-elle d'une voix plus faible encore, je ne saurais – en tant que mère d'un enfant de Sa Majesté – me contenter de la position bien médiocre que l'on m'a faite auprès de la reine d'Écosse. Il me faudrait un appartement, et le train de maison approprié...

Montmorency se dit que le rêve importun était en train de tourner résolument au cauchemar.

— Nous reparlerons de tout cela, promit-il d'un ton patelin.

— Non, non, parlons-en maintenant ! Nous disons en Écosse que ce sont là des choses qu'il faut régler une fois, pour n 'avoir plus, ensuite, à y revenir.

— Je ne sais ce qu'on dit en Écosse ; mais pour ce pays-ci, croyez-en s'il vous plaît ma longue expérience. Continuez de plaire au roi, de le combler, de l'étourdir. Et pour le reste, laissez-moi faire : vous savez combien vos intérêts recoupent les miens...

Il croyait s'en être sorti pour cette fois ; c'était compter sans la nature pragmatique de la gouvernante.

— Le problème, insista-t-elle, c'est que sans assurances de votre part, je me verrai contrainte de repartir très vite pour mon pays. Je ne saurais demeurer longtemps enceinte, aussi loin de mon mari...

— Je vais songer à tout cela, soupira le connétable en se relevant non sans peine. Ayez confiance, ma chère enfant. Et prenez soin de vous, surtout.

Ils échangèrent un regard empreint d'apparente connivence.

❊

Le sanglier réalisa qu'il transpirait, et tira sur sa manchette pour s'éponger le front. Passant devant l'autel de la Vierge, il s'arrêta, s'inclina bien pieusement. Jane Flemming, qui l'observait de son prie-Dieu, esquissa un sourire ; elle pensait pouvoir deviner le sens de son oraison...

« Sainte Marie, mère de Dieu, pria le grand maître de France ; faites que l'enfant de cette mauvaise femme pourrisse au sein de ses entrailles ! »

Puis il s'achemina vers la sortie, non sans gratifier l'Écossaise d'un petit geste amical.

Château de Saint-Germain-en-Laye.

Le roi Henri exultait. Il y avait longtemps, à la réflexion, qu'il n'avait passé d'aussi bons moments ; et s'il en avait eu le courage, il aurait conclu, en dépit de l'esprit courtois, que c'est l'absence de sa dame qui rendait le chevalier léger, le laissant dispos à ses plaisirs...

Au sortir du Conseil, de forts risques d'orage ayant découragé les chasseurs, il avait accepté l'invitation de Gaspard et François de Châtillon, neveux du connétable, à jouer à la paume. Puis l'oncle avait rejoint ce petit monde pour une collation bien arrosée, à la tête d'une escouade de jeunes serviteurs des deux sexes, aussi drôles qu'effrontés. Les sens du roi, sans doute un peu engourdis sous le poids de l'habitude, s'étaient de nouveau réveillés au frôlement des Grâces, à la provocation savante de demoiselles expertes en privautés...

— Mon compère, riait Henri en serrant contre lui son vieux maître de guerre devenu maître de paix, voilà un été comme je les aime : plein de jeunesse et d'insouciance !

Montmorency approuvait chaudement, et remplissait la coupe de son maître. Il n'osa cependant lui communiquer la nouvelle à propos de lady Jane.

⁂

Quand le jour eut commencé de décliner, Henri rentra pour le Salut à la chapelle. Il passa embrasser la reine et son nouvel enfant, soupa rapidement devant quelques seigneurs ; puis il s'enferma de nouveau chez le connétable – au désespoir des Guises qui ne vivaient plus – et reprit sa partie d'échecs, en attendant la nuit qui le verrait voler de ses petits plaisirs vers d'autres, plus consistants.

Montmorency aurait eu dix fois l'occasion de gagner, mais il était trop bon courtisan pour s'y laisser aller. Il renonçait volontiers à ces coups sans importance, préférant en jouer d'autres sur un échiquier d'une meilleure envergure... La grossesse de Jane ne se remarquait pas encore ; Diane n'allait plus tarder à reparaître ; il lui fallait pousser le roi à déclarer sa flamme.

— J'ai vu tantôt lady Jane, lâcha-t-il comme en passant ; il me semble qu'elle déraisonne un peu.

— Lady Jane, ma petite, petite Écossaise !

— Je l'ai trouvée fort amoureuse, mentit Montmorency. Au point, peut-être, de prendre ses rêves pour des réalités...

— Qu'entendez-vous par là, compère ?

— Sire, pour aller droit au but, je me disais qu'il ne serait peut-être pas mauvais de rendre cette liaison publique. Cela simplifierait tout...

— Enfin, mon cousin, vous n'y songez pas ! C'est bien trop tôt.

Montmorency se dit soudain qu'il avait joué son fou trop vite, et l'avait perdu.

Quand sonna l'heure, le valet Pierre du Griffon, dissimulé sous sa cape, vint ouvrir la porte dérobée par laquelle le roi et son compère gagnaient ordinairement la courette et le logis de Marie Stuart. Sans vraiment longer les murs, la triade veillait à ne croiser personne ; on emprunta donc un dédale de corridors et d'escaliers, suivant cet itinéraire qu'Henri, de soir en soir, avait appris à aimer plus que tout. Il suffoquait d'impatience à l'idée de retrouver la belle Jane et les quelques dames écossaises que le connétable, pour rendre tout facile, avait convaincues de se joindre à eux.

— Pensez-vous, demanda le roi, qu'elle portera mon émeraude ?

Car sur les conseils de son mentor, il avait fait livrer à sa maîtresse, dans la soirée, la plus magnifique des grosses pierres.

— Je me demande surtout, plaisanta Montmorency, si elle portera autre chose…

Ils rirent tels deux carabins, précédés par le valet toujours sérieux, comme étranger à leurs manèges.

À l'entrée des appartements de la reine d'Écosse, les gardes de faction avaient pris l'habitude de laisser entrer le connétable, son valet et son mystérieux compagnon. Ils relevèrent donc machinalement leurs hallebardes, et les trois hommes firent comme chez eux.

Pour une fois, le vestibule était resté éclairé. Henri dégrafa sa houppelande et révéla son visage. Tandis que Du Griffon s'en allait gratter à la porte de ces dames, il se tourna vers Montmorency pour plaisanter, une fois de plus.

Mais l'effroi qu'il perçut dans le regard du connétable lui passa l'envie de rire. Le roi se retourna : elle était là, sortie comme une apparition d'on ne savait quelle trappe, livide, certes, boiteuse, certes, mais affreusement pleine de reproches.

— Diane ?

Henri II, à cet instant, sans doute, aurait donné son royaume pour se trouver ailleurs. Or, au moment où la duchesse de Valentinois allait ouvrir la bouche, un bruit de serrure anima la grande porte de l'appartement ; et l'on vit paraître lady Jane qui, comprenant aussitôt la situation, émit un drôle de petit cri et disparut dans ses intérieurs comme une souris surprise devant son trou.

— Sire, implora la duchesse au bord des larmes, où vous rendez-vous ainsi masqué ? Mais quelle injure, quelle trahison est-ce là ?

Il semblait, à la voir, que l'univers vacillait sur ses bases.

— Diane, soyez tranquille...

— Oh, pour moi, je suis bien tranquille. Moi, cela ne me concerne pas. Car moi, sire, je vous aime. Je vous aime comme je l'ai toujours fait... Honnêtement.

— Diane...

— Non ! Ce n'est pas moi que vous injuriez et traînez dans la boue. Ce sont messieurs de Guise, vos bons serviteurs...

— Duchesse..., tenta le connétable.

Elle leva une main dans sa direction, mais continua de s'adresser au roi sur un ton qui montait, montait.

— ...Vos bons serviteurs si dévoués, qui vous aiment et que vous aimiez, pourtant !

— Mon Dieu !

— Ce sont eux que vous venez ici flétrir dans leur honneur, en faisant cette injure à leur nièce. Ce sont eux dont vous souillez à l'envi la belle réputation. Eux, et votre fils qui devait épouser la jeune fille gouvernée par cette... par cette... dame !

— Diane...

Elle se mit à crier.

— C'est à votre fils le dauphin que vous manquez le plus gravement ! Et à sa mère, notre pauvre reine, qui se trouvait tout près, qui dormait – pauvre, pauvre ! – du sommeil du juste !

— Diane !

— Madame ! tenta le connétable.

Le roi leva les bras au ciel.

— Il n'y a là aucun mal, promit-il d'une voix défaite. Je n'ai fait que bavarder.

— Bavarder ? Bavarder...

Diane de Poitiers, les yeux fermés, prit une longue inspiration puis, faisant volte-face, se retourna contre le connétable.

— Et vous ! Vous, méchant homme ! Faut-il...

Sa bouche se plissait de colère et de dégoût.

— Êtes-vous donc déjà perdu et dévoyé au point de tolérer – que dis-je ? – au point de conseiller au roi de commettre de telles choses ? N'avez-vous donc pas honte de nous faire à tous telle injure, surtout à messieurs de Guise et à moi – qui vous avons toujours si bien servi et favorisé auprès de Sa Majesté ?

Le connétable jugea prudent de ne pas répondre ; son attitude impassible tranchait cependant sur l'insigne agitation du monarque.

— Ah, mais la gratitude, poursuivait la furie, la gratitude n'est certes pas ce qui vous étouffe. Pervers, débauché, hideux conseiller !

— Si vous vouliez bien...

— Non, taisez-vous !

Elle n'était plus très loin de hurler.

— Taisez-vous, mais taisez-vous donc, méchant, qui pervertissez notre roi, séduisez nos princesses, rabaissez et détruisez tout ! Je vous interdis, bien formellement, de jamais plus m'adresser une parole ! Je vous interdis, vous m'entendez, de jamais reparaître en ma présence !

Montmorency secoua la tête, mais ne répondit mot. Diane, à présent étouffée de pleurs et de sanglots, se traîna, boiteuse, jusqu'à un coffre sculpté où elle ne put que se laisser choir. C'est le moment que choisit le roi pour tenter de la raisonner.

— Pardon, madame, pardon, dit-il, si je vous ai rendue malheureuse, mais vous devez savoir...

— Savoir quoi ? Que le roi que j'aime et que j'admire, le roi que je place au-dessus de tout au monde, a trahi sa femme, son fils, sa couronne même ?

— Enfin...

— Mais bien sûr ! Avez-vous mesuré de quel poids vont peser ces graves événements, lorsqu'il s'agira de marier le dauphin ? Et si lui-même refusait une alliance désormais si préjudiciable à sa réputation, que diriez-vous ? Que direz-vous à la famille de Lorraine, dont vous venez de ruiner en une nuit plusieurs vies d'efforts et de sacrifices ?

— Mais… Pourquoi le leur dire ?

— Comment ? Ai-je bien entendu ?

— Madame, se lança de nouveau le roi, la gorge nouée, je vous demande, au nom des rois, mes ancêtres, au nom de l'État, de ne rien souffler à personne de cette triste affaire.

— Vous voudriez qu'en rajout de tout, je cache aux Guises leur infortune ?

— Madame, oui.

— Il est bien tard, sire, et je ne vois pas comment…

Le roi perdit contenance. Prenant les mains de Diane, il les couvrit de ses larmes et, mettant un genou à terre, il entreprit d'implorer la duchesse de garder pour elle ce qu'elle savait.

— Non, n'en dites pas davantage…

— Madame, je vous en supplie ! Je vous supplie de ne pas révéler ceci au cardinal et à ses frères !

Diane souriait intérieurement : n'étaient-ce pas les Guises eux-mêmes qui l'avaient mise au courant ?

— Oh, pitié, madame, pitié…

Tout contrit et confus, le roi de France, à genoux, hoquetait maintenant comme un enfant, à la honte même du valet et des gardes qui lui tournaient le dos, au désespoir du connétable qui tenta de le relever. Mais alors la détresse d'Henri se retourna contre ce complice enfin démasqué.

— Non ! se débattit le souverain. Pas vous.

Il toisa Montmorency sans aménité.

— Maréchal, sortez !

L'ordre royal fut proféré du ton le plus dur, le plus cassant.

Se ravisant alors, Anne de Montmorency reprit contenance et, lentement, silencieusement, se retira sans sacrifier aux révérences d'usage. Au moment de sortir, il croisa le regard de Diane, et percevant sous le courroux une lueur de triomphe, ne put s'empêcher de songer qu'elle avait joué l'offense, feint la colère, mimé la douleur…

Le roi, anéanti, passa le reste de la nuit à sangloter dans le giron de sa dame. Et elle, dans son infinie bonté, voulut bien lui caresser les cheveux, comme elle le faisait, autrefois – lorsqu'il n'était qu'un enfant.

Foire de Saint-Germain-en-Laye.

Bien que sa fracture ne fût plus qu'un mauvais souvenir, et qu'elle eût amplement retrouvé l'usage de ses jambes, c'est en chaise que la duchesse de Valentinois choisit de se rendre jusqu'à la foire de Saint-Germain. Elle avait pris soin de se faire escorter d'un régiment complet de la garde écossaise, ce qui semblait superflu, à en juger par les sourires et les révérences qui fleurissaient sur son parcours. Le bon peuple, ébloui par l'étrange alliance, habituelle chez Diane, du faste et de la rigueur, ne paraissait manifester aucune hostilité envers la favorite.

Alors que sa chaise parvenait au détour des tréteaux, Diane repéra dans la foule le jeune homme qu'elle avait convoqué. D'un léger signe de tête, elle lui signifia qu'il pouvait la rejoindre.

Vincent Caboche délaissa le cornet de confiseries qu'il avait entrepris d'engloutir, et d'un pas dégagé, s'approcha de la chaise. La duchesse s'expliqua.

— Je préférais te voir ici, c'est plus discret. Approche-toi !

Elle jetait, tout en parlant, un œil méprisant aux facéties d'un mime qui, battant l'estrade, s'ingéniait à singer de son mieux les manières des gens de Cour ; en revanche, elle ne manqua rien de la danse – fort pitoyable au demeurant – d'un grand ours brun, passablement efflanqué, que son montreur manipulait à l'aide d'un anneau de métal, fiché dans le nez de l'animal.

— Voilà qui est cruel, fit remarquer le jeune Vincent, marchant à côté de la chaise.

— C'est la vie qui est cruelle, trancha la duchesse. À propos, petit...

Le garçon s'approcha le plus près qu'il put.

— Je ne t'ai jamais remercié comme il convenait du grand service que tu nous as rendu, à messieurs de Guise et à moi-même.

— Madame...

— Écoute, écoute ! Je suis demeurée discrète depuis cette fameuse nuit, uniquement pour ne pas attirer l'attention sur toi. Mais sache que mon soutien t'est désormais acquis.

— Merci...

— Personne n'a su l'office que tu avais si bien rempli ; tout est donc pour le mieux.

Le garçon détourna les yeux de l'ours qui, constamment châtié, paraissait souffrir le martyre.

— J'ai proposé au roi, dit Diane d'un ton paisible, de te confier une mission d'honneur, au demeurant fort bien payée... Je veux que tu sois détaché, dans les jours qui viennent, au service de Messieurs d'Andelot et de Coligny. Les connais-tu ?

— Un peu, madame.

— Ce sont les neveux préférés de M. de Montmorency. Les fils de sa sœur et, si je ne m'abuse, des candidats certains à l'hérésie !

La voix s'était un peu crispée sur ce mot. Caboche battit des cils, deux ou trois fois ; il était issu lui-même d'une famille convertie à la Réforme, et tremblait que la duchesse ne finît par l'apprendre.

— Tu vas t'introduire dans leur maison, continua-t-elle, le plus officiellement du monde, et tu viendras, régulièrement et de vive voix, me faire le rapport précis et fidèle de tout ce que tu auras pu voir et entendre d'intéressant chez eux, surtout en fait de religion. Comprends-tu ce que je te demande ?

— Très bien, madame.

— Brave petit ! Tiens…

La duchesse de Valentinois sortit une pièce d'argent d'une belle aumônière, et pria Vincent d'aller la remettre au montreur d'ours. Lorsqu'il l'eut fait, quoique à regret, Diane lui lança l'aumônière pleine. Le garçon la saisit au vol.

— Pour ta peine ! lâcha-t-elle alors que s'éloignait sa chaise.

Chapitre II

Le soldat errant

(Printemps et Été 1551)

Saint-Pierre, près de Compiègne.

L'artisan appliqua le fer rougi sur le sabot qu'il venait de limer avec soin. L'atelier s'emplit aussitôt de fumée âcre et de cette odeur de corne grillée qui, mieux qu'une enseigne, signait pour les voyageurs la présence d'une forge dans les parages. L'animal – la plus fine, la plus déliée des juments – demeurait impassible aux mains du commis. Le maréchal joua de sa longue pince pour jauger différents angles du fer qui fut refroidi, ajusté, puis replacé ; enfin clouté.

Appuyé contre un pilier octogonal, d'un bois si vieux qu'on eût dit de la pierre, Gautier de Coisay ne perdait rien de ces gestes immémoriaux. À cinquante ans révolus, il appréciait pleinement, désormais, la sûreté de main nécessaire, et mesurait ce qu'il avait fallu de peine à l'homme de l'art, d'humilité aussi pour atteindre cette maîtrise.

— Plus j'avance en âge, dit-il, et plus je salue l'expérience. Dans tous les domaines…

— C'est en forgeant qu'on devient forgeron, ironisa le maréchal.

Gautier le savait mieux que personne : les Picards pouvaient se montrer moqueurs...

❈

— Voilà nos hommes qui ressortent, fit remarquer le commis.

Il scrutait, de l'autre côté de la place, les trois inconnus qui, un peu plus tôt, étaient entrés à l'auberge. Les domestiques se frottaient le ventre dans l'attitude de clients repus, tandis que leur maître, déjà à cheval, attendait qu'ils enfourchent leurs mulets.

— Je sens qu'ils vont venir par ici, subodora le commis.

De fait, les trois voyageurs firent le tour de la fontaine et, sans se presser, vinrent mettre pied à terre à quelques pas de la forge. Le gentilhomme confia son cheval à l'un des valets ; il entra dans l'atelier et salua Gautier qui lui rendit la politesse.

— Mes mulets se fatiguent, dit-il au maréchal avec un net accent du Midi ; il faudrait les ferrer.

— Les deux ? Gros travail...

— On a tout le temps.

— Vous dormez à l'auberge ?

Le gentilhomme ne répondit pas. Gautier se dit qu'il avait plutôt fière allure : le regard expressif, le sourire avenant, la taille haute avec de larges épaules... Il portait un pourpoint bleu de France en velours, un peu chaud peut-être pour la saison, mais parfaitement seyant.

— Belle monture, ma foi, lança-t-il en flattant la croupe de la jument. C'est la vôtre ?

Gautier renifla.

— Elle est à mon frère.

Il s'amusait vaguement de cette assurance un peu surfaite, et rangea d'emblée l'intrus au nombre de ces petits seigneurs méridionaux qu'il avait bien connus jadis, à Nérac, chez la défunte reine de Navarre. Chère et pauvre Marguerite...

— Vous venez du Midi, relança-t-il par politesse.

— Du Périgord ! se vanta l'autre.

Et il se présenta sans ambages.

— Godefroy du Barry, seigneur de La Renaudie, dit La Forest, pour vous servir !

Il avait accompagné cette sorte de tirade de mouvements de chapeau que Gautier, en son for, jugea ridicules, et dignes d'un comédien plus que d'un hobereau.

— Baron de Coisay, répondit-il sobrement.

— Coisay ? Vraiment !

La Forest partit d'un rire sec.

— Eh bien, mon cher baron, clama-t-il en ouvrant aussitôt des yeux ronds, c'est le Seigneur qui vous envoie ! J'étais justement à votre recherche !

Gautier, à la vérité, n'aurait pu en douter : ce voyageur un peu rude, à l'accent rocailleux, ressemblait trop aux anciens fidèles de la cour de Béarn pour n'avoir pas, de près ou de loin, partie liée à la Réforme. Or, depuis deux ans déjà, lui-même animait, à Saint-Pierre et dans les environs, une assemblée très active de la foi nouvelle. Aussi bien fit-il son possible pour se montrer aimable envers un « frère religionnaire » ; et ce, en dépit de sa réticence pour le côté bravache du personnage.

— Vous pouvez parler en confiance, dit-il en désignant le maréchal-ferrant et son commis. Ces messieurs partagent notre foi.

La Forest opina du chef. Il arrivait de Genève, expliqua-t-il, où il avait eu l'honneur insigne et la pleine joie d'entendre longuement Calvin lui-même. Là-bas, quelques membres éminents de la Communauté lui avaient demandé d'approcher la cour de France, et d'y sonder plusieurs personnages, dont MM. de Châtillon, neveux du connétable de Montmorency : François d'Andelot et Gaspard de Coligny passaient en effet pour très favorables à la Vraie Religion, encore que l'on ignorât jusqu'où leur soutien pouvait aller.

— Je connais un peu l'un et l'autre, devança Gautier. Mais à mon grand regret, je dois vous dire que j'ai depuis longtemps quitté la Cour, et que je n'ai nulle intention d'y remettre les pieds !

— C'est ce dont nous devons parler, répondit La Forest sans se décourager.

L'artisan et son commis échangèrent un regard entendu : l'un comme l'autre auraient pu miser leur pécule sur la résolution du baron à se tenir à jamais éloigné de la Cour.

Manoir de Coisay.

Si mademoiselle voulait m'aider à tirer un peu sur ce drap...

La brave Nanon mettait, dans tout ce qu'elle faisait, un soin qui s'apparentait à de l'amour ; la regarder plumer un canard, ou astiquer un chaudron, ou simplement plier un torchon, était à chaque fois une leçon de vie. Françoise se disait parfois qu'elle n'imaginait pas l'existence sans elle, et que la maison, sans sa présence active, indéfectiblement bienveillante, lui aurait paru très vide, soudain, et comme privée d'âme.

— Dans quel sens veux-tu...

— Comme ça, mademoiselle, avec le pli rataplat, voyons-nous ?

Françoise retint un sourire, mais elle fit le pli « rataplat ». À seize ans bientôt, elle songeait souvent à la maison qu'elle devrait tenir, elle aussi, tôt ou tard ; or cette perspective lui brisait le cœur. Chasser la grive, chevaucher des heures durant, aider son oncle Simon à reposer des ardoises déplacées par la tempête, tout cela lui plaisait.

Mais à la seule idée d'avoir à repriser des chausses ou à torcher une marmaille, de sombres pensées l'envahissaient. « Je ne suis pas prête, se disait-elle, voilà tout. Cela finira bien par venir... »

— Attention, mademoiselle, votre rabat, votre rabat !

Françoise pensa soudain que Nanon pouvait aussi se révéler crispante.

— L'autre a encore passé la matinée dans sa cuve, à l'office ! observa la servante avec une pointe de fiel.

— « L'autre », Nanon ?

— L'autre, enfin, l'autre, voyons-nous ?

— Tu veux dire M. La Forest..., devina Françoise.

— Oui, mademoiselle. Ça ne me regarde pas, mais si j'étais monsieur votre père, je me méfierais comme d'une peste de ce furonque.

— « Oncle », Nanonette.

— Oui... Voyons-nous ?

— Ce gentilhomme aime prendre des bains, s'amusa Françoise. Je ne vois pas où est le mal... De plus, il forme de grands projets pour la Vraie Religion, et je sais que mon père l'apprécie pour cela.

— Votre oncle, monsieur Simon, est catholique ; ça ne l'empêche pas d'« apprécier » lui aussi ce monsieur. Et même plus que quiconque, voyons-nous ?

— Attends : qu'essaies-tu de me dire ?

Mais la servante avait disparu, comme appelée soudain par quelque tâche urgente.

— Nanon !

❋

Françoise haussa les épaules. Le penchant de son oncle pour les messieurs était, dans la maison, à peu près aussi secret que devait l'être, au Louvre, le goût du roi pour Mme de Valentinois. Mais alors que les courtisans parlaient beaucoup de ce goût-ci, on n'évoquait jamais ce penchant-là chez les Coisay.

La jeune fille se promit d'approfondir ce qui, visiblement, troublait Nanon ; car en dépit des apparences, la brave femme ne s'inquiétait jamais sans raison. Aux yeux de Françoise, elle avait plus ou moins remplacé une mère jamais connue – la pauvre femme ayant donné sa vie pour la mettre au monde... C'était en 1535, huit ans à peine après le mariage de ses parents. Avec sa grande sœur, aujourd'hui mariée, Françoise avait été élevée par ses tantes. Mais en vérité c'est Nanon qui s'était chargée de l'essentiel : un amour, une présence, une vigilance de tous les instants...

Elle saisit sur une table le miroir à main que son oncle lui avait offert pour ses quatorze ans, et vérifia que la nuit ne lui avait rien ôté de ses appas. Un regard y suffit : son beau visage oblong était toujours là, ainsi que sa peau fine et douce, ses pommettes un rien saillantes et son petit nez mutin. Des yeux en amande, à l'éclat vert tendre un peu trouble ; des cheveux sains et soyeux, d'un blond vénitien hérité de son père ; enfin l'attache du cou, tellement gracieuse, juste sous l'adorable petit menton digne du maître de Cloux[7]...

— Françoise ?

Gautier de Coisay venait de passer la tête dans la pièce où se contemplait sa fille. Elle reposa le miroir en vitesse.

— Bonjour, « not'maître » ! lança-t-elle en sautant au cou de son père.

Elle l'appelait ainsi par moquerie, imitant le respect naïf des métayers locaux.

— Ma fille, annonça Gautier d'un ton guilleret, tu peux garder ton miroir : il va falloir te faire toute belle ! Je crois en effet le moment venu de t'emmener à la Cour.

— À la Cour ?

Depuis qu'elle avait l'âge d'y penser, Françoise avait éprouvé des sentiments mêlés à propos de cette contrée bizarre qu'avaient, naguère, tant fréquentée les frères de Coisay. D'un côté, la concentration de pouvoir, de savoir, de richesse incarnée par la Cour, la fascinait comme n'importe qui ; mais en même temps, ce qu'elle avait pu apprendre, au fil des confidences de son oncle, d'un univers semé d'embûches et de chausse-trappes, la remplissait d'une sorte de terreur.

— Nous allons nous rendre au Louvre ? s'enquit-elle.

— Non, à Écouen, chez M. de Montmorency. Il y reçoit, pour la saison, tous les jeunes princes et princesses.

— Dont la reine d'Écosse ?

— À commencer par la reine d'Écosse ! Avec un peu de chance, je pourrai te faire présenter à Sa jeune Grâce... Tu es contente ?

Françoise s'efforça de sourire.

— Oui ! Enfin... J'espère que vous n'allez pas courir au-devant des ennuis.

— Quels ennuis, ma fille ? À seize ans, il n'est pas mauvais que tu fasses tes premiers pas à la Cour – en attendant d'être présentée au roi et à la reine...

— Ne me dites pas que nous allons à Écouen rien que pour moi ! Parce que…

— J'ai à faire chez le connétable. Une mission pour notre ami La Forest.

— Une mission ?

Un éclat de vive inquiétude traversa le regard de la jeune fille. Elle avait, ces dernières années, tant écouté son oncle décrire la Cour et ses poisons comme l'antichambre de l'Enfer ! Mais Gautier n'était pas disposé à lui en confier davantage.

— Eh bien ! Moi qui pensais te faire plaisir… lâcha-t-il seulement en quittant la pièce.

❈

Pendant un moment, Françoise essaya de voir le bon côté de la nouvelle : elle allait découvrir des lieux magnifiques, rencontrer de hauts personnages ; elle pourrait essayer sa révérence et porter enfin sa belle robe bleu pâle… Mais très vite, c'est l'appréhension qui la gagna. Et comme toujours dans ces moments-là, c'est à son oncle qu'elle eut envie de demander conseil.

Simon se trouvait dans la grange, à préparer le bûcher de la Saint-Jean. Dans un temps où d'autres bûchers, un peu partout dans le royaume, martyrisaient les adeptes de la foi nouvelle, l'idée d'en édifier un, monumental, dans la cour du manoir, n'enthousiasmait pas grand-monde à Coisay… Mais le goût de Simon pour les fêtes et son respect du calendrier romain étaient sa religion à lui.

— N'allez pas nous mettre le feu à la grange, murmura Françoise en abordant son oncle par surprise.

— Oh, ma beauté ! se réjouit Simon. Tu veux savoir ? Je ne suis pas mécontent de ce tas de fagots.

— Je dois vous le dire : je serai peut-être absente, pour la Saint-Jean.

— Françoise, non ! La flambée sera superbe, et...

— Mon père tient à ce que je l'accompagne à Écouen.

— Ah... Tu feras donc partie de ce voyage... Eh bien, mais c'est magnifique ! Belle comme tu es, tu vas pouvoir éblouir ce vieux cochon de connétable ! Promets-moi seulement de rester sur tes gardes.

— Justement : ce retour de mon père à la Cour me fait peur. Je me demande si ce n'est pas une imprudence de sa part.

— Nous n'avons à la Cour qu'une ennemie, certes de taille : Diane de Poitiers. Or, tu ne risques pas de la croiser chez le connétable : ils sont en guerre ouverte depuis près d'un an ! Du reste, à ce que l'on dit, le connétable vit maintenant en semi-disgrâce.

Françoise se demandait souvent comment s'y prenait son oncle pour rester informé des potins royaux. Simon prit sa nièce par les mains.

— Si tu vas à Écouen, lui conseilla-t-il, ne manque pas la ménagerie. C'est le plus étonnant village du monde, tout peuplé de bêtes étranges !

Il fit une ou deux singeries qu'elle voulut bien trouver drôles.

— À propos de bêtes étranges, je ne comprends pas ce que vient faire chez nous cet affreux bonhomme, lâcha-t-elle à propos du gentilhomme périgourdin.

— Affreux, dis-tu ? Je ne trouve pas…

— Mon oncle !

— Pardon.

Simon croisa les bras, comme à chaque fois qu'il se faisait rabrouer par sa nièce adorée.

— Vois-tu… Cet homme est une espèce de soldat errant. C'est la religion qui le lie à mon frère… Une religion qui est aussi la tienne, du reste. Ce La Forest affirme connaître pas mal de monde ; il est actif ; j'ai cru comprendre – car ton père ne me dit rien là-dessus – qu'il entretenait à Lausanne et Genève des relations éminentes… Bref, il possède tout ce qui pourrait décider Gautier à l'aider.

— Sauf l'honnêteté.

— Ah non ? Pourquoi dis-tu cela ?

— Il montrait hier un nœud double à Papa, et lui a glissé comme ça : « C'est en prison que j'ai appris à le faire. »

— Et ton père n'a pas insisté ! Curieux… Après tout, notre homme a peut-être été en prison par fidélité à sa foi…

Simon haussa les épaules ; ayant assez bavardé à son goût, il se remit à son bûcher.

— Renseignons-nous, mon petit. Tâche de parler à ton père, pendant votre équipée ; de mon côté, je te promets de cuisiner cet homme.

— Ne le torturez pas trop !

Simon sourit : sa nièce n'était plus une enfant…

Château d'Écouen.

En vérité, les tout premiers pas de Françoise de Coisay à la Cour – du moins chez les princes – n'eurent pas grand-chose d'enthousiasmant.

Son père avait eu du mal à renouer de vieux liens dans la maison du connétable. Péniblement gratifié d'un logis dans les communs, il s'était mis en tête, afin d'abréger la mission, d'aborder au plus vite M. de Coligny. Son frère, M. d'Andelot, était alors à la guerre, parti se battre du côté de Parme.

Abandonnant sa fille avec une désinvolture qu'elle était loin de lui connaître, Gautier disparut donc avant midi le premier jour ; or, Françoise ne le revit qu'après dix heures du soir ! Personne, de tout ce temps, ne s'était soucié d'elle : nulle boisson, aucune nourriture, pas même l'idée d'un endroit où se soulager ! Dès lors Françoise avait dû s'aventurer, non sans réticence, hors de la chambre, traverser des salles et des salles avant de tomber sur un office où une vieille servante, à l'abord revêche, ne lui avait procuré que le nécessaire. On imagine la déception de la jeune fille : rien, dans ce qui l'entourait, ne reflétait l'opulence, tellement vantée par ailleurs, des décors, des meubles, des collections d'Écouen.

De longues heures d'affilée, Françoise dut se contenter de lorgner, par un œil-de-bœuf, les allées et venues d'une infinité de personnes empressées. Un petit groupe, au loin, retint spécialement son attention, parce qu'il gravitait autour d'une très jeune fille en robe rouge écarlate – probablement la reine Marie d'Écosse !

❊

— Pardon, ma fille ; je n'ai guère pu m'occuper de toi, s'excusa son père en rentrant se coucher.

Bien qu'épuisé, Gautier semblait satisfait de sa journée ; il était même en veine de confidences, et tandis que Françoise l'aidait à se défaire des multiples boutons, des lanières, des agrafes, des manchons et collet propres à la tenue de Cour, il lui parla comme jamais, sans doute, il ne l'avait fait auparavant.

— L'air qu'on respire ici est un poison subtil… Rien qu'à le humer quelques heures, après trois ans d'absence, j'ai senti que me revenaient des envies, des chimères, des ambitions peut-être, que j'aurais crues depuis longtemps évanouies. C'est ainsi : la Cour flatte les pires penchants de l'âme humaine…

Françoise demeurait silencieuse ; c'est peut-être ce qui incita son père à se laisser aller à quelque confidence.

— J'ai croisé tantôt, chez Monseigneur*, un certain Chabot-Charny, qui se trouve être le fils d'une dame que j'ai bien connue, jadis…

Il se tut pendant un moment, puis ajouta qu'elle s'appelait Françoise, elle aussi… Sa fille dressa plus encore l'oreille, espérant en savoir davantage quand le baron las, s'écroula de fatigue, encore habillé sur son lit, et se montra incapable de bailler un mot de plus.

Déçue, Françoise l'aida comme elle put à trouver une position confortable. Puis elle alla se coucher, frustrée de cette confidence avortée, et se jurant d'essayer d'en apprendre bientôt davantage, dès que possible. Elle avait aussi résolu de prendre en main sa deuxième journée à Écouen.

❋

La jeune fille s'éveilla la première au petit matin, fit chauffer un peu du lait récupéré la veille et, sans rien révéler de ses plans, aida gentiment son père à parfaire sa tenue. Il la serra dans ses bras avant de s'éclipser, l'enjoignant de rester là, bien sage, sans bouger…

Françoise sourit avec perfidie ; car cette fois, elle était décidée à sortir ! Elle attendit simplement que Gautier se fût éloigné puis, se coiffant sans l'aide de personne – aucun domestique ne les accompagnait – et revêtant sa fameuse robe bleu pâle, tout ornée de dentelles, elle tâcha de se donner noble contenance. Le résultat, entrevu dans un plat d'étain, lui parut acceptable.

---

* Chez le connétable.

Elle sortit donc la tête haute, tout excitée à l'idée de découvrir « le plus étonnant village du monde ».

— S'il vous plaît, mon ami, demanda-t-elle à un laquais revêtu de la livrée des Montmorency, pourriez-vous m'indiquer le chemin de la ménagerie ?

Les indications recueillies furent plutôt vagues ; néanmoins Françoise trouva sans trop de mal le chemin des volières et des cages dont l'odeur, assez vite, acheva de la piloter. Quand elle croisait un gentilhomme de belle prestance, ou quelque dame dont le port trahissait la haute naissance, la jeune fille se fendait d'une courbette si bien troussée, si prestement effacée, qu'elle donnait parfaitement le change. Deux ou trois fois, elle eut même la surprise et la confusion de voir de beaux messieurs la saluer très bas, comme s'ils la prenaient pour une grande demoiselle...

Elle passa du temps devant la cage des singes verts, et oubliant bientôt l'ennui de ses dernières heures, prit plaisir à voir évoluer ces sortes de lutins nerveux. Ils paraissaient surtout occupés à s'épouiller entre eux... Ne sachant trop que leur donner, elle ramassa par terre quelques pelures d'agrumes, et tenta de les jeter à travers le grillage. Les singes passèrent outre ; ils ne se donnèrent même pas la peine d'inspecter de plus près ce don improvisé.

Françoise s'apprêtait à quitter la partie quand une voix juvénile, dans son dos, la figea sur place.

— Vos pelures ne leur plaisent pas. Ce qu'il leur faut, ce sont des amandes.

On joignit aussitôt le geste à la parole, provoquant le plus grand désordre au sein de la cage. La jeune fille rit de bon cœur.

— C'est que je n'ai pas d'amandes, dit-elle en se retournant.

Ses joues se teintèrent.

— Si ce n'est que ça, je peux vous en vendre, rétorqua le jeune insolent.

Françoise lui décocha un regard incrédule, qui le fit rire à son tour.

— Je plaisante ! Tenez, prenez celles-ci.

Il lui tendit une poignée d'amandes puis, fouillant dans la sacoche nouée à sa ceinture, en ressortit une autre, qu'il entreprit de dévorer lui-même.

— Si vous mangez tout, il n'y en aura plus pour les singes, observa-t-elle pour dire quelque chose.

— Vos propos sont d'une logique imparable, conclut-il d'un ton soudain méprisant.

Françoise n'aurait su dire pourquoi, mais ce garçon lui sembla, dès le premier contact, et très désagréable, et très agréable. Tout en lui – sa tignasse brune en bataille, ses yeux un peu ronds sur un visage de chérubin, sa gracilité apparente mêlée à l'appétit le plus sauvage – tout la perturbait au point d'entamer son souffle.

« Va-t'en, je t'adore ! » aurait-elle pu lui dire avec lucidité ; ou plutôt : « Reste ici, je te déteste ! » Mais elle déclara seulement qu'elle ne connaissait pas cette variété de singes.

— J'ignore leur nom, confessa-t-il en gobant les ultimes amandes, et cela m'est bien égal. Et vous, le vôtre ?

— Je... Pardonnez-moi ! s'émut la jeune fille en se sentant rougir à présent jusqu'au blanc de l'œil.

— Moi, c'est Vincent ! clama le grossier galant. Vincent Caboche. Vous êtes à Monseigneur ?

De plus en plus dépassée par ces questions absurdes, Françoise le scruta d'un air perdu ; elle n'avait même pas compris le sens de son propos.

— Je vois, reprit Vincent. Vous n'êtes pas de ce pays – je veux dire : de la Cour. Vous n'appartenez pas à la Cour.

— Je suis de noble lignage, se justifia Françoise.

— Mais pas présentée, ça se voit tout de suite. Ce n'est pas grave, vous savez...

❈

Leur petit badinage fut interrompu par l'entrée, dans la ménagerie, de tout un cortège de personnages aux tenues éclatantes. De jeunes pages, armés de hauts plumets, éventaient quelques adolescents de leur âge, entourés d'obséquieux officiers. Vincent prit Françoise par la main et l'attira doucement dans un coin retranché.

— Voici le dauphin et les princes, murmura-t-il. Vous n'avez pas été présentée, sinon je vous présenterais...

Quand il parlait ainsi, Françoise se demandait s'il n'était pas un peu fou.

— Je vous expliquerai.

Puis il ajouta six mots qu'elle comprit, pour une fois, de manière limpide.

— Je vous trouve très jolie. Vraiment !

Elle leva les yeux au ciel. « Va-t'en, je t'adore ! »

Vincent sut tout de suite que ses avances n'étaient pas sans effet. Il s'en réjouit intérieurement : infiltrer les milieux proches des Châtillon n'entrait-il pas dans sa mission ?

Manoir de Coisay.

Simon de Coisay comptait mettre à profit l'absence de son frère pour se rapprocher du « soldat errant » et, si possible, en apprendre plus long sur lui. Un tel projet n'allait pas de soi ; en effet, après le départ de Gautier pour Écouen, Godefroy du Barry se fit insaisissable. Il passait de très longs moments dans sa chambre, à lire la Bible, disait-il, ou bien à jouer aux dames avec un de ses valets. Il trouvait toutes les excuses pour éviter la table de Simon et la seule fois où celui-ci, dans une conversation fortuite, s'était aventuré au-delà des banalités, l'entretien avait tourné court.

Heureusement, le hasard – ou d'autres forces – devait accomplir ce dont le calcul s'était avéré incapable.

❊

Un soir que Simon parcourait à cheval les bois environnants, il aperçut, dans une anse de l'étang des Mousseaux, un baigneur qui, quoique seul, lui parut, d'aussi loin qu'il le vit, s'amuser comme s'amusent les enfants. Le cavalier mit pied à terre, attacha sa monture au premier arbre et, de buisson en fourré, se rapprocha pour mieux voir...

Dans le rôle du triton solitaire, il avait bien sûr reconnu son hôte.

Le baigneur, s'ébrouant comme un chien au sortir de l'eau, vint s'allonger mollement dans l'herbe, à quatre pas du voyeur. Se croyant seul, il n'avait pas pris la peine de se rhabiller, et reposait négligemment sur le dos, dans la lumière ambrée, comme Adam innocent dans l'Éden. Il poussa plusieurs soupirs de contentement, ferma les yeux, sourit aux anges. Dormait-il ? Son souffle ondulant se fit bientôt plus régulier.

Simon, comme envoûté par le spectacle, finit par sortir du fourré. Il caressa des yeux cette anatomie offerte, alanguie, jusqu'à l'intime : cette plante de pied à peine ridée, cet intérieur de cuisse un peu gras, les poils châtains de cette aisselle... Un tel examen le confortait dans le sentiment que ce gentilhomme était la vivante réplique du dieu Mars. Il s'accroupit auprès de la statue de chair, irisée de gouttelettes dorées ; il approcha son visage du sien. Tout près... Comme s'il avait voulu s'approprier son souffle...

Seulement, le baigneur ne dormait pas !

Bondissant tout à coup comme un fauve, il surprit l'intrus qui émit un cri de surprise. D'un geste sûr et vif, il lui avait saisi le poignet et le maintenait ferme – afin, contre toute attente, de le mener jusqu'à son flanc.

Simon respirait fort. Sa main, maniée contre son gré, passa sans trop résister sur le ventre dur ; elle devina les côtes sous la peau soyeuse, palpa la fermeté de la poitrine, s'attardant au passage aux pointes des seins. Sa paume se laissa conduire – toujours sous emprise – vers des régions plus secrètes. Ses doigts finirent par abuser de La Forest qui, ronronnant d'aise, de sa main restée libre, empoignait la nuque de Simon et guidait sa bouche vers ses lèvres, sa langue vers son âme.

Alors seulement Mars lâcha prise et, les deux paumes vers le ciel, se laissa posséder, les yeux à la renverse, le cœur déchaîné. Longuement, délicieusement, Simon savoura chaque phase de l'assaut ; et sous la voûte qui se peuplait d'étoiles, ses sens bridés par la vie renouèrent, aux franges de la nuit, avec une ivresse adolescente.

※

— Mais qui es-tu ? demanda Simon au dieu comblé, un long moment plus tard.

— Pose-moi tes questions…

— D'abord ton âge.

— Trente-deux ans.

« Quinze de moins que moi », songea Simon.

— Ton vrai nom.

— Tu connais mon vrai nom.

— La raison… Comment dire ?

— La raison de mon séjour au cachot ?

Il soupira lourdement.

— J'ai été accusé d'avoir frappé de fausses pièces. Un tribunal de Dijon m'a condamné pour cela, sur le témoignage archifaux d'un ennemi de ma famille. Crois-moi, l'injustice que l'on subit est la pire épreuve en ce monde. Lorsque l'on m'a enfin élargi, j'ai pris le chemin de Genève, où j'ai pu rencontrer Jean Calvin…

— Je voulais seulement te demander la raison… de ta présence à Coisay !

— Vraiment ?

La Forest rit doucement.

— J'ai besoin de ton frère. Nous avons tous besoin de lui – je veux dire : nous qui suivons Calvin.

Un silence s'instaura.

— Ne crains-tu pas de l'entraîner sur une pente risquée pour lui ?

— C'est là ta crainte, non la mienne… Dis-moi : puis-je te poser des questions, à mon tour ?

Simon se redressa. Il s'appuya sur un coude et, tâtonnant dans la nuit jusqu'aux lèvres de La Forest, y inséra un bout de langue avec délice. Cela devint un baiser qui s'éternisa…

— Une seule, concéda-t-il en reprenant haleine.

— D'accord, une seule : pourquoi es-tu resté papiste ?

— Pourquoi je suis fidèle à Rome ? Le seul, dans une famille qui ne l'est pas ? Parce que… Parce que c'était la religion de ma mère, et qu'elle m'a fait jurer, avant sa mort, de n'en jamais changer.

Il se laissa retomber dans l'herbe qui fraîchissait. Les yeux perdus dans l'infini des étoiles, il ajouta la seule précision nécessaire :

— Ma mère n'était pas celle de Gautier. Nous n'avons en commun que notre père.

— Je comprends la cause, je déplore les effets.

Soudain Simon se redressa : il venait de percevoir, derrière un cri de hibou, quelque chose comme un hennissement – peut-être la jument qui, toujours attachée à son arbre, commençait à s'impatienter.

Entre Écouen et Coisay.

Les jeunes clercs, ordinairement formés aux exercices de l'esprit, n'étaient presque pas initiés à ceux du corps ; ainsi la plupart d'entre eux ne savaient-ils même pas monter. Ils allaient donc à dos de mule, comme les prêtres, comme les financiers... Vincent Caboche ne dérogeait pas à la règle. Aussi quand le baron de Coisay, quittant les écuries d'Écouen, l'avait juché presque de force sur un très haut cheval, la terreur qu'il en avait conçue lui avait fait perdre une bonne part de son insolence native.

— Je connais *Beau Temps*, il n'est pas vicieux pour un sou, avait pourtant assuré Gautier, claquant dangereusement le cul du cheval.

— Ne faites pas ça ! s'était plaint à mi-voix le jeune homme, livide.

Du coin de l'œil, il avait observé Françoise, priant le Seigneur qu'elle ne fût pas entièrement consciente de la peur qui le tenaillait et lui ôtait ses moyens. Elle s'approcha dans l'instant, parfaitement maîtresse de sa propre haquenée*, qu'elle montait en amazone.

— Tout ira bien, vous verrez, dit-elle avec un sourire adorable.

Visiblement, elle avait perçu sa frayeur et tentait de le rassurer. Vincent se demanda s'il n'aurait pas préféré quelques moqueries bien méchantes à cette compassion malvenue, car humiliante. Mais comment aurait-il pu en aller autrement ? Françoise était si bonne, si prévenante !

❊

Quatre jours avaient suffi au jeune clerc pour qu'une utile rencontre, devant la cage aux singes, devînt à ses yeux un moment d'importance. Pour autant, Vincent ne perdait pas de vue la mission que lui avait confiée la duchesse de Valentinois : il devait en apprendre le plus possible sur les liens des frères de Châtillon dans le parti réformé.

Par chance pour lui, M. de Coligny, plus ennuyé que passionné par les bons offices de Coisay et ses liens avec Genève, l'avait désigné pour raccompagner le gentilhomme et sa fille.

— Rencontrez ce La Forest, lui avait ordonné le colonel général, et tâchez de voir ce qu'il trame au juste. Vous m'en ferez le rapport.

Ainsi la mission de Vincent promettait-elle de mêler l'agréable à l'utile.

Et l'agréable confinait au divin…

« C'est une espèce d'archange, avait-il fini par se convaincre avec cette sûreté un peu trop

* C'est une jument qui bat l'amble.

prompte qu'il mettait dans ses jugements. Jamais plus, de ma vie, je ne rencontrerai autant de qualités dans un seul être. »

❈

— On se traîne, on perd du temps, fit observer Gautier – sans que Vincent pût savoir s'il ignorait son angoisse, ou s'amusait à l'attiser.

— C'est que je ne me sens pas trop bien, annonça Françoise.

— Ma fille ! Que t'arrive-t-il ?

Aussitôt Gautier avait tiré sur les rênes. Vincent, lui, n'était pas dupe : elle prétendait un malaise pour dissuader son père de hâter la cadence ; il lui en sut, à l'instant, une gratitude infinie...

❈

Du côté de Senlis, ils s'arrêtèrent dans un relais, le temps de panser les chevaux et d'avaler un morceau.

Gautier ayant été requis du côté des écuries, les jeunes gens se trouvèrent un moment seuls, côte à côte sur un banc de fortune. Le temps, pour l'un et l'autre, paraissait suspendu ; et après un moment de flottement, la main de Vincent glissa sur le bois jusqu'aux jupes de Françoise. Puis, voyant qu'elle le laissait faire, il osa frôler sa jambe à travers l'étoffe. La gorge un peu sèche et le rouge aux tempes, il s'efforça de demeurer le plus longtemps possible dans cette douce proximité. Françoise baissait la tête et tentait de trouver une contenance. Elle était si merveilleuse, en cet instant d'éternité !

— Vous… Vous devriez peut-être…

— Est-ce désagréable ?

— Oh, non ! Bien au contraire. Mais…

— Alors… Où est le mal ?

Le garçon n'avait pas achevé sa question que Coisay vint s'interposer.

— Voilà mon père ! s'affola Françoise.

La main se retira donc, mais en se promettant d'y revenir.

Chapitre III

La reine régente

(Printemps 1552)

De Vitry à Joinville.

Pillé, brûlé, rasé par Charles Quint huit ans plus tôt, le vieux bourg de Vitry avait été rebâti, mais une lieue plus loin en direction de Troyes. Ses rues toutes récentes, en échiquier, sa nouvelle grand-place et ses perspectives en devenir étaient comme la réponse du jeune roi au vieil empereur : la France ne mourrait pas si aisément ; elle renaîtrait de ses cendres, encore et toujours, produisant de nouvelles forces à opposer à l'ennemi.

En ce pimpant matin d'avril, ce ne furent pas moins de quinze mille fantassins – dont cinq mille équipés d'arquebuses flambant neuves – qui défilèrent ainsi devant Henri II à cheval, sous le commandement de Coligny, neveu du connétable. Ils étaient suivis d'autant de lansquenets allemands, menés par leurs colonels, Schärtlein et le rhingrave Reckrod. Car depuis janvier, un traité signé à Chambord avec les princes d'outre-Rhin avait scellé une alliance offensive contre les Habsbourg – ouvrant au royaume des lys des horizons vers l'est, à commencer par l'occupation des trois évêchés de Verdun, Toul et Metz !

Comment le roi de France pouvait-il, dans le même temps, s'allier ainsi aux luthériens du dehors, et massacrer ceux du dedans ? C'étaient là mystères de haute politique...

— En renouant l'alliance des Francs avec les Germains, Votre Majesté se rend presque invincible, flatta Montmorency en se penchant vers le roi.

Son cheval fit un pas de côté.

— Sans votre diplomatie, lui concéda Henri, et sans de bonnes finances pour la soutenir, cette alliance serait lettre morte... Au reste, je trouve belle allure à votre neveu.

Le connétable se rengorgea : malgré leurs choix religieux, il ne pouvait se déprendre d'une certaine tendresse pour ses neveux, spécialement Coligny.

En tout, c'étaient près de cinquante mille hommes – dont plus de quatre mille cavaliers – qu'on avait réunis en vue de libérer l'Allemagne du joug de Charles Quint. But sacrilège, au demeurant, selon les vues de Montmorency : n'avait-il pas, depuis des décennies, œuvré à la paix avec l'empereur ? Il fallait en passer par là ; et cette volte-face inouïe avait été le prix de son retour en grâce... En échange, la duchesse de Valentinois avait absous le sanglier de ses crimes et gratifié sa lignée d'un brevet de duc et pair – dignité jamais encore octroyée à de simples gentilshommes ! À croire que les haines de « Madame » étaient comme ses amours : moins aveugles qu'utiles...

Un nuage opaque occulta le soleil un moment, jetant une ombre sur les trophées de la place, ornés de la salamandre de Vitry, du bonnet républicain à l'antique, emblème de la nouvelle alliance, et de la devise en latin « *Pro Patria* »... Les deux cents gentilshommes de la Maison du roi fermaient la marche, escortés de quatre cents archers.

— J'enrage, dit le roi, de ne pouvoir les mener moi-même jusqu'au Rhin !

— Votre Majesté nous rejoindra vite, j'en suis sûr...

— Ma consolation est de savoir ces troupes en bonnes mains.

Le nouveau duc s'inclina. En lui-même, il n'était pas fâché qu'un décret de la Providence l'eût ainsi placé à la tête de l'armée. La reine Catherine suivait son mari avec la Cour, lorsqu'elle avait ressenti les premières atteintes du pourpre*. Les fièvres la prenant, elle avait dû s'aliter, à Joinville, chez les Guises ; or son état s'y était aggravé, au point d'appeler le roi à son chevet...

⁂

À l'issue de la revue d'armes, un grand repas fut offert par la municipalité ; après quoi Henri, la mort dans l'âme, prit donc congé de Montmorency.

— J'aurais voulu combattre à vos côtés, soupira le roi. Cela m'aurait rappelé ma jeunesse, et le Piémont...

* Nous dirions la scarlatine.

— Mais sire, puisque vous serez bientôt parmi nous ! redit le connétable. En attendant, veuillez transmettre à la reine notre respect fidèle, et l'attachement des troupes !

Ils s'embrassèrent comme père et fils.

Henri, lorsqu'on le mit en selle, versait des larmes – ce que le duc de Guise, son compagnon de voyage, feignit de ne pas remarquer… Ils prirent la route de Saint-Dizier sous forte escorte, non sans se retourner souvent vers la masse formidable de cette armée prête à en découdre, et dont les armes, accrochant çà et là le soleil, leur envoyaient de loin des éclats d'adieu.

La nuit était tombée depuis longtemps lorsque, longeant la Marne, le convoi royal atteignit Joinville et le château du Grand Jardin, où l'on soignait la reine. Le duc de Guise – dont la baronnie venait d'être érigée pour la peine en principauté – avait donné des ordres afin qu'on éclairât brillamment les abords ; aussi des dizaines de torches se miraient-elles dans les douves, au pied des grosses tours.

Henri et les siens mirent pied à terre devant la superbe façade à lucarnes, éclairée elle aussi *a giorno*. Un chambellan et quelques dignitaires les attendaient devant la porte.

— Eh bien ? demanda seulement le roi.

Personne ne se hasarda de répondre, mais à leurs mines déconfites, il comprit que le mal avait progressé. Une sourde angoisse l'envahit, tandis qu'il s'empressait vers la chambre de sa femme.

La scène qu'il y surprit le combla d'aise : la reine, allongée tout au bord de son lit, le visage empourpré tranchant sur le blanc des oreillers et de la coiffe de dentelles, buvait à petites gorgées un bouillon que portait à ses lèvres, avec des soins tout maternels, sa cousine et dame d'honneur, la duchesse de Valentinois ! Celle-ci, de sa main libre, soutenait la nuque de la malade... Ainsi donc Diane avait choisi de s'occuper elle-même de Catherine, lui prodiguant ce savoir-faire, cette patience qui avaient fait merveille auprès de tant d'enfants.

Soudain submergé de tendresse, Henri n'aurait su dire ce qui le bouleversait davantage, de l'état de sa femme ou du zèle de sa maîtresse. À moins que ce ne fût la conjugaison des deux...

— Sainte Agathe soignée par l'Ange, dit-il en approchant du lit.

— L'ange s'appelait saint Pierre, rectifia Diane.

Il passa outre et s'enquit de l'état de Catherine.

— Nous allons beaucoup mieux, ce soir, répondit la duchesse en usant à dessein de la formule empathique propre aux nourrices et aux hospitalières.

Le roi baisa la main de sa femme, tout en décochant à la favorite la plus énamourée des œillades. Malgré la pénombre, la reine dut s'en rendre compte, car elle reprit sa main.

— Mme de Valentinois est très dévouée, concéda-t-elle d'une voix flageolante.

Elle fixa son mari dans les yeux.

— Votre armée est-elle belle et vaillante ?

— Fort belle, madame, et fort vaillante. M. de Montmorency s'apprête à la conduire jusqu'à Toul.

— J'aimerais vivre au moins jusqu'à cette victoire...

— Ne parlez pas ainsi ! s'émut Diane. Vous guérirez, je vous le promets.

— Si mon état était moins grave, le roi n'aurait pas quitté l'armée pour venir jusqu'à mon chevet.

— Allons, allons, protesta mollement Henri.

— C'est justement pour vous voir sur pied que Sa Majesté est revenue ! lança Diane avec un faux entrain.

La malade grimaçait un demi-sourire.

— La belle régente que voilà ! dit-elle en reposant sur la dentelle une main frêle et pâle.

Le roi la saisit galamment.

— « Nous laissons en notre absence la reine, notre compagne, régente à l'administration de notre royaume, accompagnée de notre fils le dauphin et d'un bon nombre de vertueux et notables personnages de notre Conseil privé. »

Il avait appris cela par cœur, pour le lit de justice du 12 février passé.

— La belle régente... redit-elle.

Diane dut estimer que les jérémiades avaient assez duré.

— Madame, avez-vous besoin de quoi que ce soit d'autre ?

— Merci, non.

— En ce cas, puis-je me retirer quelque temps ?

— Allez, mon amie, allez donc... Et merci de toutes vos bontés.

La duchesse de Valentinois s'abîma dans une profonde révérence ; puis, en se relevant, elle gratifia Henri du regard complice d'une femme impatiente de retrouver son amant. Elle n'était plus qu'une ombre et s'apprêtait à passer la porte quand la voix du monarque la retint.

— Madame, dit-il assez haut, la reine et moi voulions vous témoigner de notre gratitude pour les peines que vous vous donnez.

La duchesse se retourna, salua encore.

— Je voudrais seulement que la reine guérisse vite, dit-elle d'une voix chargée d'émotion.

Pour une fois, elle était sincère : la mort de sa cousine aurait pu entraîner le remariage du roi avec une princesse plus jeune, plus belle – et partant, plus difficile à circonvenir que ne l'était la pauvre Médicis.

Manoir de Coisay.

Comme tous les jeunes gens amoureux, Vincent Caboche subordonnait à sa flamme toute autre considération. Ainsi avait-il fait assaut d'imagination pour justifier ses visites aux Coisay. Au comte de Coligny, il faisait croire que l'avenir du calvinisme se jouait chez ces hobereaux picards – ce qui justifiait bien quelques missions régulières à la source ! Au baron de Coisay, il présentait son maître comme le génie par qui la Réforme s'insinuerait un jour au sommet de l'État, et se faisait passer à bon compte pour l'agent providentiel de cette révolution.

Évidemment, la seule raison de tant de menteries résidait dans les sentiments que lui inspirait la jeune Françoise. D'abord attiré par le charme singulier qui émanait de sa personne – notamment l'ironie sensible de son regard si débordant de vie – il s'était peu à peu attaché à certains aspects moins évidents de la jeune fille : sa voix qui pouvait, par instant, se faire rauque ; sa façon, à la fois humble et fort noble, de déporter la tête un peu de côté ; et puis la splendeur de ses cheveux tellement sains, fournis et bouclés... Lors de son premier séjour – interrompu par un billet intempestif envoyé d'Écouen – il avait multiplié les approches, et testé la résistance de la place. Il l'avait trouvée mieux fortifiée que défendue et, pour tout dire, assez disposée à lui offrir les clés sur un coussin de velours.

Cette appréciation de stratège en chambre fut renforcée à son retour, lorsqu'il découvrit une Françoise muée par son absence. Loin de le fuir comme au tout début, loin de le décourager en rien, elle provoquait au contraire leurs rencontres, et se laissait aller à des privautés qu'elle feignait de regretter aussi vite, tout en les renouvelant au premier prétexte... Chez le jeune homme, cette attitude ambivalente – et forcément blessante – eut pour effet de nourrir un penchant plus vif : Vincent se prenait à imaginer Françoise nue, à deviner la forme naturelle de ses hanches, la texture de ses tétins, la couleur exacte de sa toison pubienne... Parfois, tout embrasé de désir, il faisait des folies et prenait des risques inconsidérés, à seule fin d'apercevoir un fragment de cette beauté convoitée.

Mais c'est lors de son second rappel par Coligny que le jeune secrétaire comprit à quel point son cœur était pris – comme voué à la demoiselle de Coisay... Ce départ fut pour lui un arrachement presque insurmontable ; l'absence de Françoise, une sorte de lancinant supplice. Aussi bien, sitôt que l'occasion se présenta de rentrer dans ce qu'il regardait comme son havre, la saisit-il avidement : il fit le voyage d'un seul trait.

À son arrivée, il eut cette joie pure, inoubliable, de lire dans les yeux de la belle qu'elle avait partagé sa souffrance, qu'elle éprouvait à son égard des sentiments équivalents. Sa gratitude fut immense et sans objet précis ; il aurait voulu embrasser le chien dans la cour, l'armure du grand escalier, la moindre fleur... Pour autant, les tourtereaux ne s'étaient jamais qu'effleurés ; à peine avaient-ils échangé deux ou trois baisers bien furtifs, comme dérobés – il est vrai, délicieux à en faire mal. Or, soit crainte d'un père vigilant, soit peur d'être déçue peut-être – ou décevante – Françoise en tout cas ne facilitait rien.

Six fois, dix fois, des occasions se présentèrent, plus ou moins propices, d'aller plus loin ; toujours elle laissait filer l'opportunité... Vincent finit par se dire qu'il était le seul à espérer vraiment une intimité qui l'obsédait et, tout en rêvant de fusion, se faisait peu à peu à l'idée de ne jamais la vivre. Au point que, sans l'espèce de fierté qu'il mettait à forcer toujours le destin, il aurait pu finir par y renoncer tout à fait.

Tout bascula durant la semaine sainte. Étrangement, alors que l'ambiance au manoir était à un pieux recueillement, les tourtereaux mirent à profit la multiplication des offices et des retraites pour s'abstraire de la famille et mener un peu leur vie. Ils s'embrassèrent vraiment le mercredi saint, sous les auspices pourtant peu engageants de Judas*, allèrent plus loin le vendredi, alors que toute la maisonnée s'abîmait en prières et en méditation.

* C'est le thème traditionnel du prêche de ce jour-là.

Mais leur premier abandon charnel, ils le connurent pour Pâques – mieux : juste avant le repas de Pâques !

Nanon et ses gâte-sauce avaient préparé un festin pour la famille, les voisins, les amis – tous coreligionnaires. Comme chaque année, l'on avait réuni les grandes verdures* des chambres, et tendu leur décor de laine et de soie dans la noble salle, à l'étage. La plus vaste tenture, nettement décollée du mur, permettrait de dissimuler, le temps des réjouissances, tout un fatras qui, ordinairement, occupait le centre du salon. Simon avait festonné le tout de guirlandes de lierre et de bannières aux couleurs des Coisay, noir et bleu – on disait : de sable et d'azur.

Vers une heure de l'après-midi, les convives, sortant du grand office de Pâques, se rassemblèrent dans la cour, où le temps radieux permit de servir en plein air un vin miellé. Françoise, courant entre son oncle et Nanon, aidait aux ultimes préparatifs. Elle s'affairait dans la salle, entre la tenture et le mur, à entasser des escabelles, quand elle aperçut, caché derrière une sorte d'échelle, son cher Vincent qui faisait le mort.

— Mais... Que faites-vous ici ? demanda-t-elle, le cœur chaviré comme à chaque fois qu'elle l'apercevait.

— Je vous attendais, voyons !

— Ici ?

Ils avaient d'emblée adopté un chuchotement qui ne laissait rien présager de très honnête... Le garçon, tout beau dans son pourpoint neuf de taffetas gris, avait presque peigné sa terrible tignasse ; il était souriant ou, pour mieux dire,

* Ce sont des tapisseries sans grand sujet.

rigolard, et paraissait dévorer des yeux la jeune fille, que sa robe de fête rendait plus belle encore, avec des allures de dame.

— Vous avez mis bien du temps, murmura douloureusement le garçon.

— Nous avions rendez-vous ?

— Bien sûr : depuis notre naissance.

Avec une audace toute nouvelle, il plaqua Françoise au mur et lui baisa les lèvres, le menton, le cou, la gorge qu'il dénudait en même temps d'une main habile.

— Vincent, non, ça non ! protesta-t-elle en l'embrassant de bon cœur.

Il vibrait quant à lui, de désir. Sans perdre une minute, il dégrafa le corsage de Françoise, y plongea ses lèvres avides et, avant qu'elle ait pu se dégager, glissa une main très hardie sous ses jupes. Loin de le repousser, elle le guida en tremblant, agitée d'une soudaine fringale de lui, de ses bras, de son dos, de lui tout entier.

Ils s'agitaient dans la pénombre de ce petit espace, pris entre la muraille et le revers de la tapisserie, qu'ils menaçaient de faire tomber d'un instant à l'autre. Françoise aida Vincent à défaire les centaines de boutons de son maudit pourpoint, de ses maudites chausses ; Vincent aida Françoise à défaire les milliers d'agrafes de cette robe qu'il eût aimé déchirer de ses dents. Quand ils furent à peu près nus l'un et l'autre, la peau frémissante et le cœur battant, ils prirent le temps, quoique malaisément, d'explorer la douce fraîcheur, la splendeur encore vierge de leurs corps si jeunes.

Les doigts du garçon se firent très audacieux, la bouche de la fille osa ce qu'elle n'eût même pas imaginé une heure plus tôt. Ils allaient s'accoupler furieusement, emportés l'un et l'autre loin de Coisay, loin du royaume et même de ce monde, quand le grincement de la porte les figea soudain dans la posture la plus inconfortable. La voix de Nanon, qui se rapprochait, glaça les amants. Ils firent bien attention à ne plus faire bouger la tenture. La domestique semblait donner des ordres pour le décor des tables…

Françoise ferma les yeux, terrorisée. Mais en même temps, les tout petits baisers, si doux, dont Vincent lui tamponnait la tempe la rassuraient d'une certaine manière ; elle se disait que, si la mort avait dû la prendre en cet instant, elle n'aurait rien eu à redire…

— Attends, attends ! grommelait Nanon, sans doute à l'attention d'une servante. Comme ça, tu vas tomber, ma fille ! Attends : il doit y avoir un escabeau derrière cette tapisserie.

Les ongles de Françoise s'enfoncèrent dans la fesse de Vincent, jusqu'au sang. Il grimaça et lui décocha un regard noir qu'elle adora plus que tout. Déjà Nanon écartait la bordure d'étoffe. Sa réaction, quand elle découvrit, enlacés, transis, sa petite Françoise et ce diable de Vincent, fut un modèle de sang-froid. Elle les observa une seconde, se signa rapidement, se saisit de l'escabeau qu'elle était venue chercher, puis ressortit comme si de rien n'était.

— Il y a bien du désordre, là derrière, lâcha-t-elle seulement.

Sur quoi elle vaqua à ses tâches… Jamais, à personne, elle ne devait révéler ce qu'elle avait vu ce jour-là. Même sur son lit de mort.

❋

Ainsi, la grande imprudence des jeunes amants n'eut-elle aucune conséquence. Par la suite, ils prirent des précautions inouïes, et d'autant plus que Françoise, tiraillée entre une passion extrême et son éducation puritaine, vivait assez mal ces amours clandestines.

Un soir, elle prit le risque de tout révéler à son oncle. Simon l'écouta, tout en préparant des lignes pour pêcher la carpe.

— Si tu crois que je n'avais pas compris votre petit manège, confia-t-il à sa nièce d'un air malicieux.

— Sommes-nous donc si peu discrets ?

— Le grand amour, ma chérie, n'est jamais discret. Il a tant de voix, tant de langues pour s'exprimer !

— Mais, mon père...

— Pour lui, c'est différent. Il est un père, autant dire un aveugle en puissance ! Tu pourrais minauder avec le petit jusque sous ses yeux, qu'il n'y verrait que du feu.

Françoise supplia son oncle de lui donner un conseil sur la marche à suivre. Devait-elle parler à Gautier ? Et de quelle manière, à quel moment ?

— Il te faut lui parler, Françoise ; c'est la seule chose à faire. Sinon tu seras malheureuse, et de plus en plus... Mais attention : cela comporte des risques. Tu dois savoir à quoi tu t'exposes. Je serais toi, j'attendrais un moment ; si tu veux, du reste, je peux tâter le terrain...

— Non, répondit la jeune fille. S'il convient de libérer ma conscience, que ce soit maintenant ! Je verrai mon père dès ce soir.

— Tu as peut-être raison...

⁂

Bien sûr, elle avait tort. Gautier, surpris, choqué par les révélations de sa fille, explosa d'une colère terrible, incontrôlée. Il se mit à tirer Françoise par les cheveux, à renverser des meubles, à chercher Caboche dans toute la maison, hurlant qu'il le tuerait de ses propres mains.

Et quand le jeune homme, ayant laissé passer la nuit, se présenta le lendemain, courageusement, pour présenter ses humbles excuses et réclamer la main de celle qu'il aimait, ce fut pour s'entendre traiter de la pire manière, comme le dernier des vandales.

— Sors de ma maison, ordure ! lui intima Gautier de Coisay d'une voix hachée par la haine. Et surtout, surtout prends bien garde, à l'avenir, d'éviter mon chemin ; je serais obligé de t'écraser comme un rat.

Le jeune homme, livide, défia un instant du regard celui qui détruisait son bonheur et sa vie. Puis il sortit sans ajouter un mot.

Châlons.

Sitôt que les effets du pourpre se furent estompés, la reine Catherine manifesta cet appétit de vivre qui, très souvent, s'empare des rescapés. Avant même d'être sur pied, elle se fit porter en litière jusqu'à la Marne, en contrebas du Grand Jardin. Puis elle descendit le fleuve par coche d'eau jusqu'à Châlons*. Se rapprochant ainsi de l'armée, elle entendait assumer pleinement les hautes fonctions que le départ du roi pour Nancy lui restituait. La vieille ville, heureuse d'accueillir cette convalescente à la fois reine et régente, se hérissa de doubles *K* – son monogramme – et ne négligea rien pour donner du relief à sa présence dans les murs.

Il faut dire que la campagne d'Austrasie s'apparentait, par ailleurs, à un chemin de gloire. Dès le 5 avril, le duc de Montmorency était entré dans Toul sans coup férir ; puis ayant

* Devenue Châlons-sur-Marne au XVIIIe siècle et, depuis 1997, Châlons-en-Champagne.

pris, le 8, l'abbaye de Gorze en surplomb de Metz, il usa de finesse auprès du conseil de cette ville et, sous prétexte d'y faire étape sur le chemin du Rhin, établit de fait ses troupes, le 10, au sein de la place – dès lors acquise à la France ! Cette manière de vaincre sans combattre valut au connétable le surnom de Nestor, en souvenir de ce héros de l'*Iliade*, qui préférait la ruse aux batailles...

Catherine, à l'annonce de ces bonnes nouvelles, pria les chanoines de Notre-Dame-en-Vaux de faire chanter un *Te Deum* en leur collégiale. Elle y convoqua le gros de la Cour, et parut elle-même à la cérémonie en tenue d'apparat, couverte de riches brocards entièrement rehaussés des perles de la couronne, et coiffée d'une sorte de diadème bien propre à magnifier sa dignité nouvelle. La reine régente entendait asseoir de la sorte un pouvoir dont elle percevait trop les limites pour ne pas tenter de lui conférer le plus d'éclat possible.

⁂

Parmi les proches conseillers qui, aux yeux de Catherine, se mêlaient trop de la guider et d'encadrer son action, le garde des Sceaux Jean Bertrandi devint bientôt sa bête noire. Elle le savait soumis aux volontés de la duchesse, dont il tenait sa charge, mais lui reprochait plus encore l'espèce de lâcheté qui le poussait, en toutes circonstances, à s'abriter derrière « la volonté du roi, telle qu'elle relève de l'acte de régence ».

Un beau jour, excédée par la formule, la régente prit à part le maréchal d'Annebaut, en qui elle avait confiance.

— J'aimerais, lui dit-elle, avoir exacte connaissance des lettres en vertu desquelles m'est conférée cette régence.

— Madame, la découragea le grand amiral, ce sont là des matières austères pour une souveraine encore jeune et…

— Maréchal, trancha Catherine d'un ton devenu impérieux, c'est un souhait que je forme, à quoi vous seriez prudent de satisfaire.

Annebaut s'inclina donc. Et par un matin pluvieux, le sieur Du Mortier, conseiller du roi, donna lecture de l'acte de régence en présence de Catherine, d'Annebaut et d'un autre grand commis. On n'avait pas convoqué Bertrandi… Catherine interrompit deux ou trois fois l'énoncé, afin de se faire préciser des termes obscurs ; puis, ayant tout entendu, tout médité, elle posa les mains bien à plat sur son siège et demeura muette un moment. Elle arborait un sourire amer.

— Je vois, confia-t-elle enfin à Du Mortier, qu'en certains endroits on me donne beaucoup, et en d'autres, bien peu.

Le grand amiral se racla la gorge. La régente, toujours maîtresse d'elle-même, se retourna vers lui.

— En vérité, je n'aurais pas dû me fier à ce que le roi me disait…

Il y avait de la rancœur dans sa voix, et les conseillers présents fixaient le bout de leurs souliers. Mais Catherine sut contenir sa colère. Sans se départir de son calme, elle résolut de dicter une missive à Montmorency, afin de protester contre les termes d'un acte qui restreignait, jugeait-elle, ses pouvoirs de régente, et lui adjoignait un garant en la personne du garde des Sceaux, ainsi que deux tuteurs !

— Suis-je donc une enfant, gémit-elle, qu'on ne me laisse pas maîtresse de mes décisions ? Que l'on veuille me bailler comme compagnon M. le garde des Sceaux ?

Le maréchal d'Annebaut était, avec le cardinal de Bourbon, l'un des tuteurs prévus par le texte ; il tenta d'excuser la formulation de l'acte sur l'habitude et la tradition. C'était négliger la passion de Catherine pour l'histoire de France, et sa connaissance aiguë du règne précédent.

— La régente Louise, dit-elle, en 1525, jouissait de pouvoirs autrement étendus, et sans aucun partage d'autorité !

— Mais elle possédait déjà la plus vaste expérience…

— Maréchal, s'insurgea Catherine, faites-moi l'amitié de croire que, dotée d'un pouvoir aussi étendu que celui d'abord promis par le roi, j'aurais eu la sagesse de n'en user qu'avec sobriété. Que, consciente plus que vous, peut-être, de mes insuffisances, je l'aurais borné de moi-même, et appuyé en tout sur les conseils de mon…

Catherine ne put aller au bout de sa phrase ; elle s'était mise à tousser, tousser si fort que les témoins songèrent à une rechute. On la calma, elle essuya des larmes.

— Écrivez ! ordonna-t-elle au secrétaire qui, sous sa dictée, avait déjà tracé l'essentiel de la lettre au connétable. « Aussi bien, mon compère, j'aurai garde avant tout d'obéir au roi, sans me plaindre aucunement. Mais qu'on ne vienne pas me mander de transmettre ces lettres au Parlement afin qu'il les enregistre, car je m'y refuserais. Je préfère les conserver dans mes coffres. Tant il est vrai que leur publication diminuerait, au lieu de l'augmenter, l'autorité que chacun me prête, ayant l'honneur d'être ce que je suis pour le roi. »

La lettre fut confiée au premier messager et pendant deux jours, trois jours même, rongée d'impatience et de colère rentrée, Catherine attendit la réplique de Montmorency.

❋

Ce fut le roi qui répondit.

En termes brefs et nets, il priait simplement son épouse de faire enregistrer l'acte de régence, tel quel, et de se plier à ce qu'il prévoyait, sans y rien changer.

La plupart des femmes, devant un désaveu aussi cinglant, se seraient ou révoltées, ou effondrées. Catherine de Médicis ne fit rien de tel ; estimant sans doute qu'elle avait agi trop vite, et que son heure n'était pas venue, elle se contenta de louer la sagacité de son mari, pria le Ciel de le lui conserver longtemps et mit un point d'honneur à obéir à ses volontés.

Château d'Anet.

L'eau froide, versée par deux servantes à l'aide de hautes aiguières, était tirée d'un puits souterrain, à l'abri de la lune et de ses influences, jugées douteuses. Diane de Poitiers, accroupie dans une vasque d'argent parée de lin très fin, laissa cette pluie saisissante et bénéfique inonder son visage, son cou, sa gorge, son corps entier comme un baume d'éternelle jeunesse. Certes, la belle dame d'Anet usait aussi d'onguents supposés lui soigner le teint ; certains murmuraient même qu'elle absorbait quotidiennement une décoction d'or potable… Mais à l'en croire, tout le secret de sa jouvence résidait dans cette simple ondée matinale.

Avant qu'elle ne se relevât, la naine Barbe, qui depuis quelques années l'accompagnait partout, lui couvrit les épaules d'une sorte de chemise longue, très ample, ouverte sur le devant. Diane vint s'asseoir à ses miroirs et, dénudant son buste à nouveau, entreprit d'inspecter les éventuels ravages du temps sur la souplesse et l'éclat de la peau, le maintien et le galbe des seins…

Elle se frictionna elle-même d'une lotion d'huile de courge et de camphre, après s'être enduit les mains d'une pâte au citron et au sucre candi ; pour les dents, elle usait d'une poudre où entraient des ingrédients de sorcière : corail rouge, sang-de-dragon, noyaux de pêche et os de seiche[8]...

Diane se fit apporter une sobre tenue de cavalière. Ce jour était un grand jour : pour la première fois depuis le fâcheux accident de Romorantin, deux ans plus tôt, elle allait reprendre ses chevauchées matinales. Au fond d'elle-même, une pointe d'appréhension la tenaillait : c'était une chose de remonter de paisibles haquenées pour des périples au pas, en cortège ; c'en était une autre, après deux ans, de se relancer au galop sur le dos d'un coursier.

— Quand je pousse un cheval en pleine campagne, disait la duchesse, il me semble sentir mon père, à mes côtés. J'ai treize ans, dans ces moments-là...

Elle se rendit aux écuries à pied. Un palefrenier l'attendait, tenant à la bride une très belle jument grise, bien nerveuse. Diane gravit le marchepied, s'installa en amazone sans le moindre embarras et, rejetant toute hésitation, lança la monture au petit trot vers les bois, le vallon, les champs propices aux courses folles...

C'était l'autre secret de sa perpétuelle jeunesse.

⁂

Ayant repris ses chevauchées, la duchesse de Valentinois put rétablir le rituel immuable de ses journées à Anet. Les grandes lignes en avaient été fixées, jadis, par son défunt mari, le grand sénéchal de Brézé. Levée avec le soleil, douchée d'eau de pluie, chevauchant tout le matin, elle rentrait sur les coups de neuf heures, s'allongeait jusqu'à onze avec toutes sortes de lectures, se relevait pour dîner, se faisait alors coiffer, parer, avant une visite au chantier de M. de L'Orme... Puis elle dînait d'un rien, recevait ses gens et, quelquefois, de grands invités ; répondait au courrier ; soupait tôt – avant sept heures – et se mettait au lit avant la nuit.

Ce matin-là, elle achevait son déjeuner – toujours frugal – quand le maître d'hôtel vint lui glisser un mot à l'oreille.

— Madame, il est arrivé.

— Fort bien, qu'il patiente !

Celui qu'on attendait n'était pas un visiteur ordinaire. Diane s'était personnellement enquise de son sort. Apprenant qu'il était en vie, elle avait fait chercher sa trace, puis l'avait fait convoyer jusqu'à son domaine du Vexin.

— Habillez-moi, dit-elle en recrachant le noyau d'un abricot confit.

Les servantes s'empressèrent de lui passer – coûteuse innovation – du linge blanc de soie brodée, tissé rien que pour elle à Orléans, puis un corset à buscs[9] lui affinant la taille et faisant pigeonner sa poitrine. Enfin on lui passa le corsage de satin noir, tout liseré de perles fines, et l'ample jupe, d'un gris très pâle, qui vint recouvrir cette sorte de vertugadin atrophié qu'on appelait, en France, le « faux-cul ».

— À présent, faites entrer, soupira Diane, abandonnant sa tête aux doigts experts de la camériste.

Sa chevelure blond châtain, artistement reteinte pour en effacer les mèches déjà blanches, fut ramenée sur l'arrière du crâne, dans un mouvement qu'allaient retenir des peignes de nacre emperlée. Dans son grand miroir sur pied – que portaient les statuettes en ivoire de Diane et d'Apollon – elle scrutait la porte qui s'ouvrit pour livrer passage au visiteur.

Au premier coup d'œil elle le reconnut, quoique décharné, bossu, pliant sous le poids des ans.

— Tu as beaucoup changé, dit-elle avec une pointe d'émotion.

— Vous, madame, pas du tout, mentit le Vénitien. *Ancora più bella* !

La duchesse fit signe au vieil homme d'approcher, et d'un geste presque absent, lui offrit de s'asseoir. Il le fit avec la précaution des grands vieillards.

— Te rappelles-tu la prédiction que tu m'as faite, jadis ? À Amboise… Tu m'avais assuré que le petit prince Henri, un jour, deviendrait roi… Et que moi-même…

— *Si, si…* approuva le vieux mage. C'était à Blois, madame… Il y a plus de trente ans*…

— À Blois, je m'en souviens.

— J'avais vu, dans le miroir, que votre petit prince avait le membre tout contrefait.

— Qu'importe ! coupa Diane.

Elle rougit à l'évocation de cette infirmité intime, que si peu de gens connaissaient. Diane arbora son sourire le plus figé.

— J'ai souhaité te revoir pour rendre justice à ta clairvoyance ; car finalement, tout est arrivé.

---

* Voir *La régente noire*.

— *Buono* !

— Simplement... Il me semble que tu voyais le roi mourir assez jeune... Vers quarante ans, je crois...

— Je ne m'en souviens pas, s'excusa prudemment le vieillard.

Diane le toisa, glaciale.

— Regardons ! proposa-t-elle.

— C'est que... *Purtroppo**, je n'ai plus ce miroir... On me l'a volé...

— Si ce n'est que ça, j'en possède de toutes les tailles, de toutes les formes.

— Mais ce miroir était spécial...

— Fadaises ! trancha Diane qui sentait monter en elle colère et frustration. Nous allons essayer avec cette petite glace carrée ; c'est la même que celle que tu utilisais, n'est-ce pas ?

Il la regardait d'un air désemparé.

— Eh bien, réponds !

— Elle lui ressemble, concéda le mage. Mais ce n'est pas la même...

Il y avait dans sa voix geignarde une telle tristesse que Diane fit l'effort de se montrer plus aimable.

— Je ne voudrais pas m'emporter, dit-elle. Simplement, mon impatience est grande.

— Je veux bien essayer...

Le mage tourna la petite glace en tous sens puis, ayant apparemment trouvé l'angle adéquat, se concentra. Il resta longtemps immobile, les paupières à demi closes... Diane craignait qu'il se fût endormi quand tout à coup il écarquilla les yeux et, comme envoûté soudain par

* Malheureusement.

un spectre, donna le sentiment d'entrevoir des choses terribles.

— Eh bien ? demanda la duchesse.

Le mage demeurait muet. Elle insista, mais il ferma les yeux et secoua longtemps la tête. Puis il s'excusa, l'air navré.

— *Spiacente*[*]. Je ne vois rien du tout.

— Tu mens !

— Madame…

— Dis-moi ce que tu as vu, ordonna la duchesse. Dis-le-moi !

Le vieillard faisait la moue, secouait encore la tête.

— Je n'ai rien vu.

Alors elle se leva, fit le tour de la toilette et le prenant par les épaules, se mit à le secouer, le secouer de plus en plus violemment. Elle lui hurlait au visage.

— Parle ! Tu m'entends ? Je te l'ordonne ! Allons ! Mais parle donc !

Le vieux Vénitien la fixait de ses yeux horrifiés, tout exorbités. Il ouvrit la bouche pour dire quelque chose mais, comme tétanisé, demeura muet. Puis il s'effondra sur sa chaise, inanimé : il était mort.

❊

Un soir de la même semaine, Diane se préparait pour la nuit quand on lui signala qu'un maître d'hôtel du roi, M. de La Ménardière, venait d'arriver de Metz, à cheval, en compagnie de très peu d'archers. Elle le reçut toutes affaires

* Désolé.

cessantes, mais sans quitter son lit, le dos calé contre un monceau d'oreillers et de coussins, tous brodés de croissants de lune.

Elle prit tranquillement connaissance des lettres des Guises, du maréchal de Montmorency et de quelques autres, et garda pour plus tard celle du roi lui-même. Puis elle libéra le messager.

— Madame, se permit-il, j'ai cheminé en compagnie du plus jeune secrétaire de M. le connétable, un nommé Vincent Caboche. Il a lui-même un message oral à vous transmettre...

Il se faisait tard, et le premier mouvement de Diane eût été d'ajourner l'entretien. Mais à la réflexion, elle se dit qu'il serait amusant d'entendre, de la bouche de ce garçon, des nouvelles de ces Châtillon si peu catholiques... La gloire dont Montmorency s'était couvert en s'emparant des évêchés ne justifiait-elle pas qu'on redoublât de vigilance à son égard, quitte à espionner ses neveux ?

Aussi le jeune secrétaire remplaça-t-il le messager du roi dans la chambre de la duchesse.

— Tu es moins mouillé que lors de ton premier séjour, observa-t-elle, non sans ironie.

— Mais tout aussi affamé, madame.

Il espérait peut-être se faire servir un festin... Diane ne releva pas.

— J'imagine, dit-elle, que Messieurs de Coligny et d'Andelot font en ce moment les fiers-à-bras...

— Ils n'ont guère de motifs de raser les murs, répondit Caboche avec son habituelle impertinence.

En vérité, Diane ne l'écoutait pas ; elle lisait à présent, mot à mot, la lettre du roi. Au milieu des protestations de son indéfectible amour, Henri annonçait sa probable réconciliation avec le pape

Jules[10] et soulignait, dans cette perspective, sa volonté de se montrer plus sévère, en France, à l'égard des hérétiques. En codicille, il évoquait le mariage, plus que jamais souhaitable, d'Horace Farnèse, petit-fils du précédent pape, et de sa propre fille naturelle, Diane de France[11].

Cette dernière intention plut beaucoup à la duchesse : l'enfant légitimée, plus même que sa filleule, était en effet sa protégée.

— Le royaume de Saint Louis ne devrait jamais s'éloigner de Rome, soupira-t-elle, oubliant peut-être qu'elle avait plaidé, naguère, contre le pape et ses affinités impériales.

Diane ignorait, comme tout le monde à la Cour, que le petit Caboche lui-même était issu d'une famille adepte de la Réforme. L'eût-elle appris, du reste, qu'elle lui aurait sans aucun doute retiré sa confiance.

— Nous aurons raison, un jour, de ces Luthériens, de ces Calvinistes et autres mécréants de même farine. Tu sais ce dont je parle…

— Fort peu, madame.

— Vraiment ? Cela n'est pas plus mal.

— Quoique…

La duchesse, qui s'apprêtait à revenir au chapitre des Châtillon, dévisagea soudain le secrétaire.

— « Quoique » ?

— Il faut, madame, que je vous entretienne d'une chose un peu fortuite, et de peu de conséquence au demeurant, mais dont je crois deviner qu'elle pourrait vous intéresser.

— Oui ?

Il passa ses doigts dans sa tignasse.

— Vous connaissez, n'est-ce pas, les frères de Coisay… Ils étaient écuyers à la Cour, du temps du feu roi… Gautier et Simon de Coisay…

— Je les ai connus, en effet.

Vincent se gratta le front. Il cherchait visiblement une contenance, et maintenant qu'il avait livré ces noms, semblait s'étourdir lui-même de la gravité de ce qu'il allait révéler. La duchesse s'aida de ses mains pour se redresser.

— Eh bien ?

— J'ai croisé, l'an passé, à Écouen, le baron Gautier qui s'y trouvait...

Il avait failli dire « avec sa fille », mais ne prononça pas ces trois mots.

— Je sais cela ; tu me l'avais écrit.

— En effet, madame. À la demande de M. de Coligny, j'ai servi de lien entre eux, et c'est ainsi que j'ai suivi M. de Coisay chez lui, près de Compiègne. J'y ai fait, en tout, trois séjours.

— Alors ?

— Je ne vous surprendrai pas, sans doute, en vous disant que ce qui lie M. de Coligny à M. de Coisay relève d'une commune dévotion pour ce Calvin dont vous parliez à l'instant.

— Évidemment...

— Mais vous serez peut-être plus étonnée d'apprendre, madame, que ledit Gautier de Coisay organise, de manière régulière, certains voyages vers Genève, où il escorte lui-même d'assez distingués personnages.

Vincent Caboche tremblait de ce qu'il était en train de faire. « Pauvres Coisay ! Maudite époque ! »

Seulement, en trahissant Gautier, il se mettait à même de retrouver Françoise.

Diane lui décocha le plus engageant des sourires.

— Tiens donc... Dis-m'en plus, mon petit. Raconte-moi ce que tu sais !

Château de Blois.

Le printemps avec ses verdures, ses arbustes en fleurs, ses insectes bourdonnant dans le soleil, transformait chaque année les jardins de la reine Anne, par-delà le ravin de l'Arrou, en un véritable paradis. Le chant des oiseaux et celui des fontaines s'y mêlaient à merveille aux rires des enfants qui jouaient là des matinées entières. Depuis le début de la guerre, en effet, on avait réuni les Enfants de France en Blésois, pays accueillant et sûr. Leur gouverneur, Claude d'Urfé, ci-devant ambassadeur à Rome, était un homme mûr, très droit, proche du connétable ; depuis la mort subite de son devancier, il élevait tout son petit monde avec un dévouement qui confinait au sacerdoce.

Au sein de la fratrie royale, la jeune Diane de France – elle allait sur ses quatorze ans – faisait figure, non pas de sœur aînée – on se gardait bien de souligner un tel lien – mais de chef de file, ou bien de sage confidente... Trop âgée pour se mêler aux jeux des autres, elle ne l'était pas assez, en effet, pour échapper à l'existence lénifiante que réservait la coutume aux jeunes princes.

Le dauphin François, aîné des enfants légitimes, n'avait encore que huit ans. Suivaient Élisabeth, Claude, puis Charles, né deux ans plus tôt seulement. Quant au petit Édouard-Alexandre, alors le benjamin, il était encore au berceau.

❁

Un vent violent s'était abattu, ce jour-là, sur les jardins bien taillés, bien ordonnés, couchant les haies d'ifs taillés, soulevant la poussière des allées bien droites, arrachant aux buissons de roses bien fournis des fleurs mousseuses, qui volaient vers la ville comme autant d'énormes flocons.

La petite reine Marie d'Écosse, fiancée désignée du dauphin, fut prise de frayeur devant cette bourrasque. Elle vint se coller à son cher promis et tâcha, maladroitement, de s'abriter derrière lui tout en tenant sa coiffure d'une main, de l'autre ses jupes. Un enfant d'honneur – Gabriel de Montberon, cadet du connétable – se précipita pour les aider ; du haut de ses onze ans, il leur fit un rempart de son corps et les guida d'autorité vers un pavillon de brique où, déjà, s'étaient réfugiés les autres adolescents.

— Votre mâchoire vous fait souffrir, je le vois, s'inquiéta Marie Stuart en voyant François se tenir un côté de la tête.

Le jeune dauphin, de complexion très faible, présentait, outre un teint olivâtre, des traits marqués pour son âge, des yeux saillants et fébriles, une fragilité certaine de l'appareil auriculaire. Mais il refusait fermement de se laisser plaindre.

— Ce n'est rien, m'amie. Avez-vous eu grand peur ?

— Un peu... Mais j'étais trop près de vous pour m'alarmer...

— Nous aurions pu partir ensemble...

Ce mélange, chez des êtres à peine sortis de l'enfance, de galanterie et de grandiloquence amusait depuis longtemps les gens de la Cour et le personnel, mais il irritait un peu Diane de France, que sa position malaisée rendait plus sensible, peut-être, à certains ridicules.

— Vous n'étiez pas en danger de mort, se moqua-t-elle sans méchanceté.

La remarque froissa la reine d'Écosse.

— Vraiment ? reprit-elle. Et qu'en savez-vous donc, vous qui étiez tranquillement à l'abri dans ce pavillon ?

— Ce n'est jamais qu'un coup de vent...

Marie Stuart s'était avancée vers elle, fronçant les sourcils comme si un taon, ou même une araignée, avait été pendu à la robe de Diane.

— Mais... Qu'est-ce donc ? demanda-t-elle en feignant de tomber des nues.

— De quoi parlez-vous ?

— De ceci !

La jeune reine désignait, sur le décolleté de la bâtarde, le bord d'une chemise dérangé dans l'agitation de la tempête. Une chemise d'un rouge pur et vif.

— Ainsi, vous arborez maintenant des chemises cramoisies !

— Je l'ai toujours fait...

— Aggravez donc votre cas !

Marie Stuart éclata de son rire cristallin, haut perché. Elle trouvait comique que cette Diane de France, enfant légitimée, s'autorisât à porter sur elle une couleur absolument réservée aux princes et aux princesses. Les autres rirent un peu, pour la suivre… Quant à Diane, humiliée jusqu'au fond de l'âme, elle feignit de se mêler à l'hilarité générale, mais dut prendre sur elle de ne pas éclater en sanglots.

« C'est bien fait, se répétait-elle en elle-même ; Dieu punit mon orgueil. »

⁂

Le soir même, on convoqua les médecins au chevet du dauphin François. Le vent – ou la poussière – avait ravivé sa vieille infection des oreilles, provoquant chez le jeune prince des douleurs intolérables.

À son chevet, tout éplorée, Marie chantonnait de douces berceuses, avec l'espoir de l'apaiser un peu. À la voir dans ce rôle de garde-malade aimante et bienveillante, on n'aurait jamais pu la croire capable des morsures les plus aiguës.

Chapitre IV

Le martyr

(Printemps et Été 1554)

Château d'Anet.

La duchesse brûlait d'impatience. Depuis deux heures au moins, une file de chariots déversait pour elle de grandes caisses dans la toute nouvelle cour des communs. Le duc Hercule d'Este, diplomate efficace à défaut d'être subtil, envoyait depuis Ferrare de quoi meubler entièrement la chambre principale d'Anet, dont son ambassadeur, Alvarotto, lui avait procuré les plans.

— N'a-t-on rien vu de si magnifique ? demandait Diane à ses femmes, en battant des mains.

Dans de tels moments, transparaissait en elle la petite fille espiègle et vive, étouffée dès l'adolescence par sa discipline et sa maîtrise d'elle-même.

— Et si nous allions jeter un œil ?

— Madame, on nous a demandé d'attendre !

À mesure qu'on les déchargeait, les caisses étaient montées au premier étage, déclouées, débarrassées de la paille et vidées de leur précieux contenu. L'envoyé du duc de Ferrare, un certain Zerbinato[12], supervisait ce déballage ; il avait supplié Diane de lui laisser juste le temps de mettre les choses en place.

— Tendez-moi ces cuirs, allons ! Plus vite ! se lamentait-il, conscient de l'impatience de la duchesse. Si vous ne changez pas de cadence, Madame sera ici avant que nous n'ayons rien présenté.

C'est exactement ce qui arriva : deux pièces de cuir, gaufrées et dorées, étaient à peine tendues que Diane, n'y tenant plus, usait de ses prérogatives pour rompre sa promesse et faire irruption au milieu des caisses que l'on déballait.

— Madame, vous m'aviez promis...

— L'envie a été plus forte, il faut que vous m'en excusiez.

Déjà, elle s'étourdissait, et ses femmes avec elle, de la splendeur des présents expédiés par le duc italien. Les sièges, notamment, la ravirent. Tandis qu'on les extirpait de leurs boîtes, la duchesse approchait pour en palper l'étoffe, en caresser le bois, en admirer la sculpture dans le moindre détail. Et quand ce fut au tour du grand fauteuil d'apparaître, ses cris de joie redoublèrent.

— Voyez comme cela est fait ! répétait-elle à sa camériste.

Et de s'asseoir, et de se relever, une bonne demi-douzaine de fois.

— Ce fauteuil est en réduction tout ce que j'aime. Monsieur, dites bien à votre maître combien son geste est apprécié, et quelle admiration m'inspire le goût avec lequel tout cela est arrangé.

Zerbinato n'eut plus, dès lors, qu'à doser le déballage de sorte que chaque nouvel objet relançât l'intérêt de ces dames, sans interrompre trop tôt l'effet du précédent... Après les cuirs, les tentures, les sièges, les grands vases, on en vint aux statues antiques. Diane, connaisseuse en la matière, sut apprécier, identifier, commenter chaque pièce, s'extasiant au passage de la qualité d'un emballage qui avait permis de transporter tant de merveilles sans en briser une seule.

— Et qu'y a-t-il encore, dans tous ces coffres ?

— Madame, ce sont les coffres de linge. Vous n'imaginiez tout de même pas une chambre de cette importance, sans les commodités qui doivent l'accompagner !

L'envoyé avait le beau rôle : Diane s'émerveilla de plus belle, et décerna au duc tant de compliments qu'on aurait pu penser, sur le moment, que la diplomatie française allait en être changée.

— Je ne sais que dire, répétait l'heureuse bénéficiaire de tant de prodigalité.

Et ses femmes gloussaient avec elle. À la vue des étoles, des camisoles, des grands mouchoirs entièrement brodés, la surprise allègre fit place à la plus vive excitation. Ces présents-là parlaient au cœur de toutes ; et Diane, que son avidité n'avait jamais rendue grossière, distribua sans hésiter un certain nombre de lots.

— Voyez ces taies brodées, madame ! piaffaient les unes, mises en train par cet accès de générosité.

— Et ces nappes, madame, ces nappes !

Pendant qu'elles s'engouaient d'étoffes, des valets montaient les colonnes du grand lit, surmontées de vases à l'antique. Ils placèrent les matelas, crochetèrent les courtines, disposèrent avec soin la somptueuse courtepointe...

— C'est trop beau, gémit Diane. Ou du moins ce le serait, si la chambre n'était destinée au roi lui-même...

La duchesse de Valentinois fit plusieurs fois le tour de la pièce enfin toute parée. Elle s'attardait à des raffinements minimes, dans le seul but de prolonger son plaisir, et quand, enfin, elle quitta son nouveau grand décor, il lui sembla qu'elle venait de connaître, dans cette sorte de grand marché idéal, à domicile, un des moments les plus gais de toute son existence.

❧

L'un des plus grands collectionneurs du royaume était, avec le cardinal de Lorraine, ce maréchal de Saint-André qui avait partagé l'amitié d'Henri depuis l'enfance – tout au moins, depuis son retour de captivité en Espagne.

La duchesse était trop impatiente de lui montrer les merveilles de son nouveau domaine, pour ne pas le prier de la venir visiter, avant de rejoindre l'armée. Car s'il était fidèle au roi dans les salles de paume et jusqu'à la chasse, il l'accompagnait aussi – et de manière autrement méritoire – sur les champs de bataille.

— Ah, mon ami, quelle joie de vous recevoir. Voulez-vous voir tout de suite une chose étonnante ?

Elle conduisit son visiteur devant le grand portique qu'il avait déjà franchi pour entrer. Au dessus d'un bas-relief admirable, signé Cellini et présentant une Diane chasseresse allongée près d'un cerf, trônait une curiosité dont la maîtresse des lieux tirait orgueil, et d'autant plus qu'il s'agissait d'un présent du roi.

Le vaste groupe en question – entièrement en bronze – figurait un autre cerf et quatre chiens. Saint-André voulut bien en vanter la composition ; il n'était pas au bout de ses surprises. Diane, en effet, avait choisi son moment, et ils n'eurent guère à attendre pour profiter du spectacle. Car ces statues formaient, en fait, autant d'automates qui, reliés à une pendule, s'animèrent à l'heure pleine. De son sabot, le cerf frappa lui-même onze coups sur une cloche, tandis que les chiens remuaient qui la tête, qui la queue.

— C'est fascinant, s'émut le visiteur avec l'ambiguïté maligne du parfait homme de cour. Chère amie, c'est bien simple : nulle part, on ne saurait rien voir de la sorte !

La duchesse avait sans doute perçu l'ironie dont se doublait un compliment si fabriqué, mais elle tenait d'autres arguments en réserve. Et c'est devant sa collection de joyaux antiques – notamment quelques très gros camées – que Saint-André vint à résipiscence : il était bel et bien reçu, clama-t-il, dans le palais d'Alcine*.

⁂

Le soir même, il soupait en tête à tête avec son hôtesse, de part et d'autre d'une table couverte de joyaux d'orfèvrerie, quand la conversation roula

* C'est le symbole mythologique de l'enchantement.

sur les peines financières du moment, et sur la difficulté, pour les grands seigneurs qu'ils se flattaient d'être, de tenir convenablement leur rang.

— Tout est devenu fort cher, se plaignait Saint-André, et je confesse bien volontiers que l'avenir se découvre à mes yeux sous un jour sombre.

— Et encore, soupira la duchesse, vous n'avez pas, dans votre famille, de prisonniers à racheter ! Pour moi, il me faut réunir la rançon de mes deux gendres[13]. Le cas du duc de Bouillon, surtout, exige une invraisemblable fortune. Hélas, comment trouver les fonds nécessaires ?

La duchesse repoussa une coupe émaillée de la plus riche facture. Pour plaisanter, le maréchal lui souffla des moyens inattendus.

— Je ne vois guère que le vol, le meurtre ou pis : le mariage !

Diane, selon son habitude, s'épargna la peine de rire.

— Ce qu'il faudrait, rebondit-elle, c'est que les tribunaux nous condamnent une nouvelle fournée d'hérétiques. Cela ferait du bien à répartir…

— Nous n'aurions qu'à tirer au sort…

— Je ne plaisante pas ! protesta Diane.

— Mais moi non plus, ma chère. Moi non plus…

Là-dessus, l'un et l'autre étaient on ne peut plus sérieux.

Noyon.

Traversant l'Oise par le pont épiscopal, soumis à péage, Gautier de Coisay se retint d'entrer dans Noyon par le Midi. Il lança plutôt son cheval sur le chemin qui contournait la cité à main droite, afin de profiter d'une butte d'où il pourrait l'envisager tout entière, et d'un peu haut. Désolant spectacle, en vérité, trop conforme à ce qu'il avait ouï dire : deux ans plus tôt, les Hongrois de Charles Quint avaient ravagé la cité picarde, ne laissant derrière eux qu'un tas fumant de bâtisses en partie ruinées. Gautier se rappela ce que lui avait dit Calvin lui-même : « La maison de mon père demeure seule debout dans la ville réduite en cendres... »

Jean Calvin ! De tous les grands hommes qu'un destin pour le moins singulier lui avait donné de rencontrer, il était sans conteste le plus marquant. Le charisme du pasteur, la puissance de sa pensée, l'importance du combat qu'il avait épousé, emplissaient Gautier d'admiration. Il lui paraissait inouï que son propre manoir de famille ait été si proche de Noyon, la cité natale du réformateur genevois.

Le cheval piaffait. Gautier redescendit vers la ville, l'esprit peuplé d'émotions et d'images encore fraîches. Il rentrait tout juste de son quatrième voyage à Genève ; et celui-ci lui avait paru, en rencontres, en échanges, plus riche encore que les précédents. Non seulement Calvin lui avait fait bon accueil, le distinguant enfin de Godefroy du Barry dont il se méfiait, mais au-delà, Gautier avait pu lier connaissance avec quelques figures étonnantes, notamment un autre Picard, comme Calvin originaire de Noyon dont il avait, jadis, été maire et lieutenant du roi. Laurent de Normandie était un de ces hobereaux pétris de lettres et d'humanité ; son père avait croisé, au début du siècle, le père de Gautier ; lui aussi avait perdu sa femme ; lui aussi se sentait un peu égaré…

Le gentilhomme passa la Porte et gagna la place du marché. C'est là qu'en septembre 1552 – juste avant l'incursion des Hongrois – l'on avait fait brûler neuf mannequins représentant des notables du cru – dont Normandie – condamnés pour hérésie. L'exécution n'avait pu se faire qu'en « effigie », car tous, déjà, s'étaient réfugiés à Genève… Gautier était bien placé pour le savoir : il avait lui-même accompagné là-bas quatre d'entre eux !

Il entra dans un estaminet où l'on servait, sur des tonneaux, toutes sortes de jambons et de salaisons. Malgré la pénombre qui régnait là, Gautier ne fut pas long à repérer, parmi les chalands, un petit homme sec à la barbe pointue dont il aurait pu jurer qu'il l'avait croisé plusieurs fois, à Compiègne, à Saint-Pierre, à Coisay, depuis son retour de Genève... Quelqu'un l'aurait-il fait suivre ? Et dans quel but ? Gautier se dit que, son repas terminé, il quitterait les lieux par les derrières, le plus discrètement possible, et tâcherait de pister cet espion.

En attendant, il lia conversation avec le patron, un gros homme chauve, imberbe. Après quelques banalités, il jeta un regard circulaire pour s'assurer que l'homme à barbiche était à distance respectueuse puis, affectant un air détaché, expliqua qu'il avait connu, en son jeune temps, la famille de Normandie, et qu'il aurait aimé savoir s'il en restait quelque chose.

Le tavernier fronça les sourcils et se baissa pour ne répondre qu'à mi-voix.

— Ces gens-là ne sont plus à Noyon, dit-il. Et si je puis vous donner un conseil, c'est de ne pas chercher à les retrouver.

— Et pourquoi cela ?

— Pourquoi ?

Le gros homme étouffa un rire malsain, puis il dévisagea Gautier et tourna le dos sans un mot de plus. L'enquêteur en était pour ses frais. Il avait promis, pourtant, à Laurent de Normandie de recueillir des nouvelles de sa maison et de ses terres... Gautier avala un dernier copeau de jambon, but une ultime rasade de bière et sortit de sa bourse quelques pièces de bronze et de cuivre. Il se levait pour sortir lorsque, par une fenêtre entrouverte, il aperçut ce qui pouvait ressembler à un archer. Au même moment, deux hommes en armes se postaient au seuil de l'estaminet.

Le réflexe de Gautier fut de jeter un œil en direction de l'homme à barbiche : il avait disparu ! Les soupçons du gentilhomme se précisèrent. Sans perdre un instant, il se dirigea vers le fond de la salle, espérant y trouver une issue vers l'arrière-cour. Alors surgit un quatrième archer qui s'immobilisa dans le chambranle. Le cœur de Gautier se mit à cogner.

— Monsieur de Coisay ?

Une voix ferme, dans son dos : celle d'un exempt de la prévôté*.

— Voulez-vous me remettre vos armes, s'il vous plaît. Après quoi vous me suivrez sans résister.

Les archers entrèrent. S'il avait mieux connu la taverne, Gautier aurait peut-être pu tenter de fuir, mais les seules issues visibles en étaient gardées... Le sang battait à ses tempes.

— Puis-je seulement savoir...

— Je vous en prie, monsieur de Coisay. Exécutez-vous !

Il soupira, sortit son épée de son fourreau, sa dague de sa ceinture, son pistolet de son manteau, et les remit à l'exempt.

— Êtes-vous porteur de courrier ?

Gautier marqua un instant d'hésitation, puis il sortit de ses poches plusieurs lettres signées de Calvin, de Normandie, de quelques autres... Il venait de signer sa perte, et le devinait.

Le silence s'était fait dans l'estaminet et c'est sous les regards pétrifiés de la clientèle que Gautier sortit, entre deux archers.

❋

Le cachot[14] dans lequel on l'avait jeté n'était qu'ombre et moisissure. On devinait, à certains

* L'équivalent de notre officier de police.

bruits, à des frôlements immondes, la vermine qui pouvait grouiller là. Pendant deux jours et deux nuits, personne ne s'y était aventuré ; le prisonnier était donc resté sans manger et sans boire ! Gautier, enchaîné à la muraille, avait enduré bravement cette première épreuve mais il n'était plus un homme jeune et sa résistance, jadis proverbiale, trouverait bientôt ses limites.

Le troisième soir, la lourde porte s'était ouverte. Le geôlier, vêtu grossièrement, s'était approché de Coisay. Il l'avait éclairé de sa torche, l'avait scruté sans un mot, et fait nourrir... Quelques jours plus tard, il avait conduit l'inculpé devant des magistrats civils, assistés d'un prêtre. Ils l'avaient questionné longuement sur son père et sur sa foi, avaient voulu éclaircir ses relations passées avec les souverains de Navarre et la duchesse d'Étampes, s'étaient penchés de près sur ses trajets jusqu'à Genève, sur les personnes qu'il y avait conduites et rencontrées...

Les lettres saisies sur l'inculpé paraissaient les passionner plus que le reste, et Gautier finit par en conclure que, dans son cas, les considérations théologiques les intéressaient moins que la dimension politique de l'affaire. En somme, plus qu'un hérétique, ils lui donnèrent le sentiment de vouloir punir un sujet désobéissant et trop libre.

Il avait répondu à tout sobrement, mais refusé, une fois pour toutes, de prononcer aucun nom. Alors on l'avait reconduit au cachot.

Depuis lors, il se languissait dans le noir et l'humidité. Après une semaine de ce régime, il se mit à tousser ; des affections douloureuses commencèrent à lui brûler la peau ; ses articulations le faisaient souffrir chaque jour, chaque nuit davantage. Il aurait tant aimé voir – ou simplement apercevoir – ses filles, Claude et Françoise, et son demi-frère Simon ! Mais il se garda bien de demander à leur écrire, de crainte de leur attirer des ennuis.

Lui qui, depuis trente ans et plus, connaissait le connétable en personne, et même la duchesse de Valentinois était, vingt fois par jour, gagné par l'irrépressible envie d'en appeler à leur clémence pour le tirer de là. Mais une voix, tout au fond de lui, se faisait à chaque fois entendre, pour dire que cela ne serait ni digne, ni utile. Surtout pas utile...

Des heures durant, luttant contre la plus entière solitude, il psalmodiait à voix haute. Le psaume LXXIX était celui, sans doute, qui revenait le plus souvent dans ses prières.

Des Prisonniers le gémissement vienne
Jusques au Ciel, en la présence tienne :
Les condamnés, et ceux qui déjà meurent,
Fais que vivants par ton pouvoir demeurent.

Le reste du temps, il pleurait.

Un matin, le geôlier fit irruption dans le cachot, suivi de deux sbires qui détachèrent le prisonnier pour le conduire jusqu'à une pièce en contrebas. Gautier s'était préparé à ce moment, mais en voyant les chevalets, les carcans, les brodequins, il fut pris de panique. Les yeux hagards, le souffle court, il tenta piteusement d'échapper à la poigne de ses gardiens. Sans aucun succès.

— C'est votre entêtement, estima le magistrat présent, qui vous condamne à de pareilles extrémités. Nous aurions tous préféré nous en passer !

Gautier savait qu'il n'en était rien, et que tous les procès pour hérésie comportaient la question ordinaire et extraordinaire. Il se révolta.

— Monstre, hurla-t-il, est-ce ainsi que vous traitez les enfants de Dieu ?

— Et vous, mécréant, est-ce ainsi que vous traitez les agents du roi ?

On le coucha sur le banc de peine, on l'y attacha sans pitié. Pour l'ancien écuyer commençait le moment le plus dur, et de loin, de toute son existence. Il subit l'affreuse question par l'eau, puis l'atroce question par le feu. Cent fois, on lui fit les mêmes demandes ; cent fois il y répondit de même.

— Je n'ai rien à vous dire, je ne vous dirai rien.

Lorsque, par moments, la douleur atteignait des pointes intolérables, Gautier hurlait à en perdre la voix. Mais il se reprenait vite et, tâchant de fixer son regard bleu sur celui des persécuteurs, il les prenait courageusement à partie.

— Pourquoi voulez-vous que je vous nomme tous ces gens ? Afin de les travailler à leur tour ? Où tout cela finira-t-il ?

Puis, entre deux grands tourments, il articulait les paroles du Psaume IX.

Viens, Seigneur, montre ton effort :
Que l'homme ne soit pas le plus fort.

Enfin, après une éternité d'horreur, il sentit, du fond de l'abîme où l'avaient plongé les souffrances, qu'on le détachait. Un aide jeta sur lui un seau d'eau fraîche et propre. Gautier aurait voulu pleurer de soulagement, mais il n'avait plus la force d'exprimer le moindre sentiment.

C'est alors qu'il comprit que la séance n'était pas finie : on allait seulement changer de torture.

Château de Villers-Cotterêts.

La huitième grossesse de la reine Catherine s'annonçait plus difficile que les précédentes. Dès la fin de juillet, elle s'était plainte de brusques bouffées de chaleur, de sueurs froides non moins subites, de nausées lancinantes, de brefs évanouissements. Ses médecins en débattaient, ses dames s'en alarmaient... Même le cadre enchanteur de Villers-Cotterêts – un domaine qu'elle appréciait plus que d'autres – ne sut la rasséréner.

Mais ceux qui connaissaient le mieux la souveraine doutaient que sa nouvelle maternité fût seule responsable de telles indispositions. Après tout, Catherine s'était, depuis dix ans, trouvée presque toujours enceinte, sans que son état général en fût notablement affecté.

En vérité, ce qui minait la reine, la rongeait, la dévorait d'inquiétude, devait être cherché ailleurs, par-delà les monts : dans cette Italie qui l'avait vu naître et où, quoi qu'on en dise, était resté son cœur.

— A-t-on des nouvelles ? demandait-elle ainsi, à longueur de journées.

Et ceux qui, par ignorance ou lassitude, se hasardaient à répondre sur la guerre en Artois, se voyaient détrompés en termes assez vifs.

— Je vous parle de la Toscane !

Depuis des mois, presque des années maintenant, cette héritière de la branche aînée des Médicis plaidait en effet pour que le roi son mari aidât ses fidèles alliés – à commencer par les Strozzi de Milan – à chasser de Florence Côme de Médicis, le cousin détesté. Celui-ci n'était, à ses yeux, qu'un usurpateur à la solde de l'empereur, un obstacle à tous ses droits légitimes...

Seule à la Cour dans de telles dispositions, Catherine eût sans doute pu prêcher longtemps sans succès ! Seulement sa passion italienne rencontra les intérêts bien compris des Guises et, accessoirement, les ambitions – plus fumeuses – de Mme de Valentinois. Aussi s'arrangea-t-on pour entretenir la reine dans sa chimère et pour lui donner toutes les raisons de se faire ouvertement la défenseuse de nouvelles campagnes italiennes.

Le héros de Catherine, le chef de guerre dont elle espérait tout – en dépit de ses airs de petit coq un peu ridicule – était l'inénarrable Piero Strozzi, dont elle avait amené le roi Henri à soutenir les bravades. Tenant déjà Sienne, voilà qu'il prétendait fondre à présent sur Florence, et l'arracher aux griffes de Côme.

— Je tiens à contribuer moi-même au bon succès de ses armes, avait-elle déclaré.

Sur quoi, avec la permission de son mari, elle n'avait pas hésité à gager l'intégralité des domaines auvergnats qu'elle tenait de sa mère ! Aux cent mille écus ainsi réunis – somme déjà faramineuse – Henri ne pouvait faire moins qu'ajouter cent mille autres, et même davantage : comment, après cela, Catherine aurait-elle pu dormir paisiblement, l'âme en paix ?

❊

Las ! Dès la deuxième semaine d'août, un messager survint à Villers-Cotterêts, qui jeta dans les affres tous ceux qui, avertis des enjeux, savaient combien la santé de la reine dépendait des nouvelles d'outre-monts.

— Strozzi est défait, se disait-on à voix basse ; Strozzi s'est incliné devant les Florentins !

C'était présenter bien mollement la terrible défaite de Marciano où, le 2 août, le malheureux Piero s'était fait écharper par les troupes impériales. Lui-même, du reste, très lourdement blessé, avait bien failli laisser la vie dans ce désastre.

Fallait-il en avertir Catherine ?

Un chœur unanime prétendit qu'il convenait surtout de s'en bien garder, que c'eût été la tuer. Ayant laissé parler cette lâcheté première, ministres et courtisans s'interdirent du même coup tout courage postérieur. Et l'on vit cette comédie pathétique d'une cour riant et devisant d'enthousiasme pour mieux cacher l'indicible.

— A-t-on des nouvelles ?

— Non, madame, toujours pas.

— Ce silence est suspect, ne trouvez-vous pas ?

— Suspect, madame ? Mais non… Pourquoi ?

Contre ce concert d'hypocrisie, une voix, une seule, s'éleva. C'était celle de Catherine de Pierre-vive, dame du Perron, dame d'honneur de la reine et qui passait – à juste titre – pour son amie. Un matin que la souveraine – étrangement inconsciente de la sinistre farce qui se jouait autour d'elle – s'était laissée aller à plaindre une grande dame à qui sa famille avait caché des revers de fortune, Mme du Perron eut le courage de se risquer.

— On dit toujours, lâcha-t-elle, qu'il n'est pire sourd que celui qui ne veut entendre…

— Certes, mais…

— Madame, je crois que personne n'échappe à cela. Pas même vous.

Catherine connaissait trop sa dame d'honneur pour ne point comprendre qu'une telle sortie cachait forcément quelque chose. Elle demanda des précisions, s'impatienta contre la gêne palpable qui s'empara de l'assistance, exigea de son amie qu'elle aille au bout de sa pensée…

Ainsi fut enfin annoncée à la reine la défaite de Marciano.

Ceux qui avaient prédit des pleurs et des malaises furent confortés. La reine, soudain dessillée, se laissa gagner par une colère extrême contre ce complot du silence qui s'était formé autour d'elle. Perdant le contrôle d'elle-même, elle alla jusqu'à insulter plusieurs dames, en italien ; elle hurlait, tapait des poings, feignait de perdre connaissance. Puis, l'écran de la fureur se dissipant, vint le temps des larmes et des sanglots. Le désespoir de Catherine parut tel aux témoins, que plusieurs redoutèrent bel et bien la fausse couche…

Ce soir-là, on vit la reine de France bouder la prière du soir, en signe de révolte envers Dieu ; nul ne s'avisa d'y voir la moindre marque d'hérésie...

⁂

Comme au temps maudit où, dauphine, elle ne parvenait pas à perpétuer la dynastie, Catherine voulut noyer son abattement dans la compagnie des mages, des devins et des astrologues qui constituaient, autour d'elle, comme une cour souterraine.

Elle resserra le contact avec ceux qu'elle appelait, en privé, ses « bons sorciers », et n'hésita pas à passer des soirées et des nuits dans la compagnie de figures rarement présentables, rarement catholiques.

La reine, si prompte par ailleurs à défendre l'orthodoxie religieuse, n'hésita pas à faire dire des offices d'un genre très spécial pour le succès de ses entreprises d'outre-monts – et ce, alors même que tout était perdu et que, de l'avis des plus aventureux, la seule chose à faire avec l'Italie était d'en sortir !

— Que voyez-vous, demandait compulsivement Catherine au mage Ruggieri dont elle sollicitait les dons hors de raison.

— Je vois des choses étonnantes, madame.

— Certes, mais sont-elles bonnes ?

Le devin se tut un instant. Puis, maniant assez bien la langue de « ce pays-ci », il se fendit de la seule réponse qui lui parût pouvoir ménager les attentes royales.

— Bonnes pour certains, dit-il ; moins bonnes pour d'autres.

Catherine était à ce point investie dans les affaires de sa terre natale que, le cas échéant, elle aurait fort bien pu passer, à leur propos, un pacte avec le diable en personne. Cela ne l'empêchait nullement, tous les matins, de prier Dieu pour la punition des hérétiques.

Noyon, place du marché.

Une foule dense avait pris possession de la place, sous un soleil déjà chaud. Les mieux nantis se massaient aux fenêtres, les plus lestes aux poutres de la vieille halle et jusque sur les toits. Le bûcher, avec sa potence, avait été dressé sur un échafaud, bien au centre. On s'y affairait encore à lier des fagots de petit bois… Un foyer crépitait déjà, juste au bas de l'échelle.

Simon, perdu dans la multitude, tentait de se frayer un chemin parmi les dos de tant de curieux plantés là, comme hallucinés autour de la potence. Il se découvrait le prisonnier du pire des cauchemars. Ainsi, la nuit passée, n'avait-il pu dormir ; et pour tromper l'intolérable angoisse, il avait préféré s'en aller galoper des heures sur le coteau de Coisay… Mais en rentrant, au petit matin, il avait trouvé la maison vide et les mulets envolés : Françoise était partie, emmenant Nanon avec elle ! Sans perdre de temps, il s'était donc remis en selle et avait piqué des deux sur la route de Noyon, dans la ferme intention de rattraper sa nièce et de l'arracher, de gré ou de force, au spectacle indicible.

Jamais Simon n'avait pu oublier le supplice infligé, vingt ans plus tôt, à son cher Montecucculi – tenaillé puis écartelé tout vif, à Lyon, sur la place de Grenette*. Les bruits de la géhenne, l'odeur même du sang de son ami, le hantaient encore, au point de le réveiller de temps en temps au milieu d'un rêve... Aussi devait-il épargner à Françoise une épreuve à ce point inhumaine et qui, jusqu'à son dernier jour, pèserait sur sa vie.

Mais en voyant la cohue qui avait envahi Noyon, il comprit que retrouver sa nièce serait très difficile. Plus approchait l'heure du supplice, plus la foule grossissait et s'épaississait. Deux ou trois fois, Simon crut apercevoir, à quelques pas, non pas sa nièce mais la brave Nanon... Ce n'étaient que des leurres ; ces femmes du peuple se ressemblaient tant ! Alors il se prit à désespérer.

Quand le tombereau du condamné, cahotant au gré des pavés, fit son entrée sur la place, soulevant une rumeur grave, Simon fut ramené d'un coup à la rigueur de la situation. De loin, il aperçut le visage de son demi-frère, un rien hagard, les cheveux et la barbe faits. Son beau regard clair, qu'il devina plus qu'il ne le vit vraiment, le transperça comme la pre-

---

* Voir *Les fils de France*.

mière d'une série de flèches incroyablement douloureuses.

Ces derniers jours encore, il avait tout tenté, tout rencontré pour infléchir le sort. Il avait surmonté son dégoût de la Cour, avait pris le chemin de Paris puis de Villers-Cotterêts, et s'était montré chez la reine afin de supplier Sa Majesté d'intercéder auprès de son mari et d'obtenir une grâce si facile à justifier… Mais le roi, qui était à la guerre, n'avait pas – lui dit-on – le pouvoir d'absoudre l'« hérésie ». N'avait-il pas, lors de son Sacre, juré de la combattre, au contraire, et par tous les moyens ?

De sorte que rien n'aboutit, et que Simon, le malheureux petit Simon qui toute sa vie avait adulé cet aîné fort et brave, grand cavalier, fier gentilhomme – lui qui avait aimé Gautier plus que quiconque au monde –, Simon allait devoir, impuissant, assister à son ignoble trépas !

— Oh non, gémit-il tout haut, pourquoi une telle épreuve ?

Il se revoyait adolescent, suivant son frère dans des chevauchées à cru du côté de Compiègne ; on les appelait « les Dioscures » ! Il revivait ce jour où Gautier lui avait sauvé la vie – changeant leurs destinées à tous deux en s'attirant la bienveillance du duc d'Alençon*… Il croyait être encore chez le Grand Sénéchal en son château d'Orcher, quand leur était tombée dessus la plus cruciale des missions. Les Dioscures… Et puis à Poitiers, le soir où Gautier l'avait chassé comme un gueux – sale moment ; à Nérac où ils s'étaient enfin retrouvés – dans la neige ; à Bruxelles, cette nuit où lui, Simon,

* Voir *La régente noire*.

avait empêché cet idiot – quel idiot – d'attenter à ses jours...

Il aurait voulu sourire ; il grimaçait seulement et pleurait des larmes d'amertume.

La charrette ne passa pas très loin, assez près en tout cas pour qu'il ouvrît la bouche et criât son soutien, son amour à son frère. Il desserra donc les mâchoires, mais aucun sonne voulait plus sortir de sa gorge nouée.

C'est alors qu'un grand cri perça la foule et monta jusqu'au ciel. Sous les yeux impuissants de Simon, la jeune Françoise de Coisay, échappant à la vigilance du guet, avait surgi devant le tombereau et faisait se cabrer le gros cheval. Des gardes eurent tôt fait de se saisir d'elle, mais Gautier eut le temps de la reconnaître et de lui crier un mot de réconfort.

— Adieu, ma petite ! lança ce père d'une voix brisée. Ne te détourne pas de Jésus-Christ !

Simon tenta de suivre des yeux Françoise que les gardes, sans donner d'importance à l'incident, refoulaient déjà derrière le cordon d'archers. S'ouvrant à grand-peine un chemin dans la foule de plus en plus compacte et poisseuse, il parvint à s'approcher d'elle, pas à pas, longeant l'échafaud sous lequel des magistrats semblaient interroger le condamné, une dernière fois. On lui relut aussi la sentence qui le déclarait hérétique, impie, très méchamment hostile aux commandements du Seigneur – mais l'arrêt ne précisait pas que son seul crime tangible était d'avoir possédé des lettres signées de citoyens genevois.

Le curé de Notre-Dame lui présentait une croix à baiser ; il la dédaigna. Alors les aides du bourreau lui retirèrent ses vêtements, hormis sa chemise, et lui lièrent à nouveau les mains dans le dos. Il fut hissé prestement jusqu'à l'estrade, sous les cris et les sifflets de la meute, sous d'innombrables « Jésus-Maria » – en ce 14 août, on s'apprêtait à célébrer la Vierge Marie...

C'est à ce moment que Simon parvint à rejoindre sa nièce. Elle se laissa presque tomber dans ses bras, se faisant toute petite et tremblante et crispée. Elle s'en voulait tellement, à présent, d'avoir passé les deux dernières années en bouderies, en fâcheries contre ce père qu'elle n'avait pourtant cessé d'adorer.

Simon lui baisa l'arrière du crâne ; elle sanglotait, ses mains dans celles de Nanon qui, de son côté, secouait la tête comme pour dire à tous ces étrangers : « Vous ne savez pas ce que vous faites. »

Françoise garda ses beaux yeux grands ouverts quand le bourreau passa la corde autour du cou de son père. Elle cherchait à épouser ses pensées en ce moment ultime : mais où le portaient-elles ? Vers elle ? Vers sa mère ? Vers cette Françoise dont il avait une fois lâché le nom, un beau soir à Écouen ? Ou bien vers cette duchesse d'Étampes dont son oncle lui avait brossé le portrait ? À moins qu'il ne pensât à Dieu...

Simon détourna le regard quand son frère fut hissé vers le sommet de la potence. Le corps se débattit un moment, là-haut ; puis il se raidit.

Les flammes du bûcher furent jugées insuffisantes, alors on attendit.

Françoise avait cru qu'elle s'évanouirait, mais la vue de son père mourant, de son père mort, oscillant au bout de cette corde, ne lui fit pas perdre conscience. Et c'est elle, au contraire, qui dut soutenir son oncle, soudain ravagé d'un chagrin tel, qu'il lui sembla près de perdre la raison.

Quand le feu crépita vraiment dans les bûches, on redescendit le pendu. On le laissa flamber et se consumer lentement. Alors le public applaudit : l'Église triomphait de l'hérésie ; le roi avait puni la déviance.

Camp de Renty, en Artois.

La guerre entre Henri II et Charles Quint se perpétuait le long de la frontière des Pays-Bas, soutenue chichement par des trésors exsangues. Les deux armées, mal nourries, mal pourvues, se poussaient vers la mer sans oser se confronter vraiment, pillant et ravageant leurs prises au lieu de les consolider. Les Impériaux, tenant Cambrai, cantonnaient à Lilliers. Les Français, les devançant à travers l'Artois, avaient résolu d'assiéger le fortin de Renty.

— Nous prendrons cette place à la barbe de Charles – que dis-je : sous son nez ! avait fanfaronné le duc de Guise.

De fait, l'avant-garde espagnole était si proche que l'on pouvait percevoir, d'un quartier à l'autre, ces bruits métalliques que font les armées en campagne.

Le camp du roi Henri, en dépit de la disette, impressionnait par sa taille, ses belles tentes blanches et bleues, et ses bannières brodées d'or claquant au vent ; assurément, Jules César lui-même n'en avait jamais connu de si magnifique. Au matin du lundi 13 août, les allées et les bivouacs s'agitèrent soudain dans le brouillard : l'Espagnol venait d'attaquer un petit bois au nord, du côté de Fauquembergues, que l'on appelait le Bois-Guillaume. C'était la position clé du dispositif assiégeant, tenue par quelque trois cents arquebusiers de Guise et de Nevers.

Sous la tente royale, s'improvisa dans l'instant un conseil de guerre où les grands capitaines parurent hirsutes, plus ou moins, pourpoints tombant mal et collets de travers.

— Sire, annonça Montmorency tandis qu'un page peinait à nouer sa cuirasse, nos arquebuses ne tiendront pas longtemps face aux reîtres noirs de Schwartznberg.

— Ces maudits corbeaux nous délogeront par la seule force du nombre, appuya le sieur de Tavannes qui les connaissait bien.

Le jeune Gaspard de Châtillon, sieur de Coligny, prit la parole pour souligner habilement les succès récents de son oncle, et l'imminence de la chute de Renty.

— C'est du reste cette perspective, conclut-il, qui pousse le vieil empereur à l'action.

François de Guise rejoignit le groupe avec retard et, arborant de si bon matin une balafre plus visible que jamais, voulut savoir ce qu'il s'était dit avant son entrée.

— Où en sommes-nous ? demanda-t-il sans presque saluer le roi. N'a-t-on rien décidé ?

Henri II qui, jusqu'ici, avait paru plutôt méditatif, fut comme tiré de ses pensées par les manières inciviles de son grand chambellan.

— Mon compère, lui dit-il, nous venions justement de solliciter l'avis de M. de Montmorency.

Le duc se rembrunit, le connétable en profita.

— J'ai déjà fait donner, asséna-t-il, tous mes chevau-légers[15]. M. de Tavannes n'aura qu'à tenir prêts ses gendarmes[16]... Mais il faut avant cela que le petit bois nous revienne ; car si l'ennemi venait à substituer là un corps d'arquebusiers au nôtre, toute charge deviendrait vaine.

— Je pourrais y employer mes gens de pied, proposa le neveu Coligny.

— C'est à envisager, merci, consentit le connétable.

Le balafré crut le moment choisit de porter l'estocade.

— Et que ferons-nous si vos chevau-légers, et jusqu'aux fantassins de ce monsieur, échouent à emporter le morceau ?

— Nous insisterons, répliqua Montmorency. Nous enverrons les lansquenets, les Suisses, les Écossais, que sais-je ?

— Les marmitons... murmura Guise.

Cela s'entendit, mais personne n'eut l'audace de relever. Le roi lui-même, pour faire diversion, proposa de grimper sur une terrasse, d'où le destin de ce boqueteau leur apparaîtrait moins brumeux.

❧

En vérité, le Bois-Guillaume ne fut pas si facile à reprendre. Il y fallut presque toute l'armée du roi, et des trésors de courage et d'énergie. Guise et Tavannes, ralliant les Français chassés une première fois, et s'appuyant sur la cavalerie légère du duc d'Aumale – libéré contre rançon – repoussèrent une partie de la défense espagnole vers ses soutiens en déroute. Le régiment de Nevers en profita pour faire des captifs.

De son côté Coligny, lui-même à pied, la pique à la main, menait ses gens à la mêlée, face à la mitraille, et fondait sur le petit bois pour y embrocher de l'ennemi. Un violent corps à corps, très sanglant.

Enfin la position fut reprise.

Il devenait donc loisible aux Français, dans la foulée, de donner l'assaut à la place. Seulement la nuit approchait ; les troupes étaient fourbues... Le connétable s'était trop long temps acharné sur ce bois de misère.

— L'ennemi est à nous, il faut le poursuivre et lui faire rendre gorge, jugeait Guise.

— Certes, certes, concéda Montmorency, mais il est bien tard !

Le roi se rangea sans peine à ses vues – et c'est ainsi que fut perdue la plus belle occasion de toute cette campagne : une opportunité unique de mettre l'empereur à genoux.

C'est peu dire que Charles Quint fut surpris de voir les Français se replier sans charger, et lui laisser la voie libre jusqu'au fort... Ainsi donc, il avait perdu des canons, des enseignes – une vingtaine – et un demi-millier d'hommes, mais personne, pour autant, ne pourrait l'estimer battu !

Certains, dans l'entourage du Balafré, se demandaient amèrement si le connétable n'avait pas reculé, précisément, devant cette perspective-là. Montmorency n'avait-il pas toujours fait preuve de la dernière bienveillance à l'égard de l'empereur ?

— Il a surtout, pérorait le duc, travaillé contre ma victoire ; car le public, forcément, ne s'y serait pas trompé !

Cela non plus n'était pas faux.

❊

Le soir même, au coucher du roi, François de Guise exsuda sa rancœur. Multipliant les piques à l'encontre de son adversaire dans le Conseil, il sautait sur la moindre occasion de souligner combien son activisme à lui tranchait sur la passivité d'un Montmorency.

— Nous avons délogé l'Espagnol de ce bosquet, ruminait-il, mais je n'en vois pas l'utilité si c'était pour ne rien faire d'une victoire aussi chèrement acquise !

— Du moins nous aurons repris le Bois-Guillaume, ponctua piteusement le roi.

— La belle affaire, en vérité. Ce soir, martela Guise, c'est votre ennemi qui couche à Renty, dans un lit que la victoire aurait dû réserver à Votre Majesté !

Le connétable, lassitude ou manœuvre, feignait d'être au-dessus de telles critiques. Mais son neveu Coligny n'avait pas sa patience...

— Faites-le taire, murmurait-il à ses proches, ou bien je vais devoir m'en charger.

— Quand je pense, insistait le duc, que nous avons tout risqué, tout failli perdre ! Et pour quel résultat ? Vous, Tavannes, n'avez-vous pas été sublime ?

François de Guise aimait ainsi dispenser les grâces. Il enviait même Henri d'avoir eu, sur-le-champ, le geste d'ôter son propre collier de

Saint-Michel, pour en décorer ce grand capitaine.

— Nous avons accompli, en ce jour, quelques grandes actions, redit-il.

— « Nous », monsieur le duc ?

— Plaît-il ?

Gaspard de Coligny répéta sa question.

— Vous dites : « Nous avons accompli ». Moi, je demande : où étiez-vous ?

— Ah, ça !

Visiblement, les piques dont il avait usé au combat avaient fort aiguisé l'acuité du jeune guerrier. Le duc en resta d'abord médusé, mais il n'était pas homme à passer outre. Le seigneur catholique vint se ficher droit devant le chef réformé.

— Jeune homme, ne m'ôtez pas mon honneur !

— Je ne le veux nullement.

— Et vous ne le sauriez !

Guise défia longuement Coligny du regard ; celui-ci, sans baisser les yeux, préféra demeurer coi. Mais à peine le duc avait-il fait un pas de côté que l'autre ne put s'empêcher d'ajouter un mot.

— Vous arrivez toujours si tard...

Ce fut le signal qu'attendait le grand fauve pour se jeter sur sa proie ; plusieurs gentilshommes s'interposèrent, et l'on faillit voir – chose inouïe – une rixe dans la chambre même du souverain !

Henri mit ce désordre sur le compte de la fatigue générale... Il exigea la réconciliation immédiate des bretteurs – un accord aussi rapide que forcé : les deux hommes se serrèrent la main, certes, mais non sans une haine palpable. Une fracture profonde diviserait désormais les deux clans, aboutissant un jour au massacre de la Saint-Barthélemy… Dix-huit ans plus tard exactement.

❋

Car le chapitre d'histoire qui, ce soir-là, au camp de Renty, venait de s'ouvrir par une âpre dispute, n'était rien d'autre que celui des guerres de Religion.

Chapitre V

Le sanglier

(Hiver 1556)

En Picardie.

Les très grandes peines, lorsqu'elles ne s'appuient sur aucune morale, sur aucune logique, ont parfois le pouvoir de libérer ceux qu'elles accablent de leurs attaches, et de leur offrir la seule grâce accessible en ce monde : une adhésion complète au présent. Ainsi le pauvre Simon, un temps désespéré par l'ignoble fin de son frère, avait-il trouvé, tout au fond de son chagrin, une issue vers la beauté des sources, la splendeur des arbres, la sublimité des chants d'oiseaux. De longs mois durant, il s'était accroché, comme à la plus piteuse relique, aux images ineffaçables du supplice : cette pendaison hideuse, ces flammes s'emparant du corps de Gautier… Et puis un beau matin de mai, comme un abcès qui viendrait à crever naturellement, il avait senti que cette obsession l'avait quitté, faisant en lui une place immense et neuve à l'intime félicité de vivre – brûlante comme un soleil de bonté. Alors il avait pleuré, longtemps, sans oser s'avouer d'abord que ses larmes étaient des larmes de joie.

Il occupait, humblement, l'ancienne masure de sa mère, le domaine de Coisay ayant été confisqué par la couronne aux termes de l'arrêt de justice. À la vérité, Simon avait quitté sans trop de regrets ce manoir empli des souvenirs saumâtres d'une enfance de bâtard... Ce n'était pas le cas de sa nièce. Car Françoise, infiniment attachée au cadre heureux de sa jeunesse, avait subi cette expulsion comme un arrachement. C'était, déplorait-elle, comme si on lui tuait son père pour la seconde fois.

Cependant l'orpheline était trop jeune pour s'abandonner à son abattement. Puissante consolation : quelques jours seulement après l'exécution, elle avait eu le choc de voir son Vincent reparaître. Terrible dilemme... Par fidélité aux vœux paternels, elle avait bien tenté de l'éconduire, priant même son oncle de chasser un prétendant que son père avait jugé indigne. Mais, en elle, le travail des sentiments avait sans peine emporté cette digue de beaux principes ; et Nanon fut sommée, très vite, d'aller lui retrouver l'amour de sa vie...

Ce ne fut pas difficile : Simon, devançant le revirement de sa nièce, avait logé Vincent Caboche dans la grange attenante ! Il n'avait jamais partagé les préjugés nobiliaires de son frère et, contrairement à lui, aimait beaucoup ce joli garçon à l'œil irisé d'impertinence. Mieux : il le sentait capable de faire le bonheur de Françoise. Comment Simon, si droit, si pur, aurait-il pu imaginer que dans ce fier secrétaire aux cheveux d'enfant se cachait le véritable délateur de Gautier, un scélérat qui n'avait pas hésité à trahir le père pour reprendre la fille ?

Simon de Coisay conduisit donc sa nièce au pasteur, comme il eût conduit l'agnelle au loup travesti. Jamais il n'en conçut le moindre scrupule. Quant à Françoise, toute au bonheur de convoler enfin librement, elle ne fit pas un instant le rapprochement entre le renvoi brutal de son jeune amant et la mystérieuse délation qui avait jeté son père au bûcher.

Par grâce spéciale, la noce – bien modeste au demeurant – put avoir lieu au manoir de Coisay, dont le nouveau détenteur, le maréchal de Saint-André, avait pourtant planifié la destruction... Il projetait d'y faire élever des bergeries et porcheries, autrement rentables pour son compte. Aussi bien, en dansant gaiement avec son petit mari, Françoise donnait-elle ce jour-là le bras, tout à la fois à l'assassin de son père et au fossoyeur de sa maison. Cela ne l'empêcha pas de vivre, croyait-elle, le plus beau jour de son existence.

La gelée blanche avait couvert les champs et les taillis, ce qui offrait au paysage une apparence virginale. Sur la route givrée, les sabots des chevaux résonnaient comme en pleine ville. C'est Vincent qui, le premier, aperçut le clocher d'Ourscamp, comme une épine prête à crever le ciel blanc.

— Nous y sommes presque ! lança-t-il d'un ton joyeux.

À ses côtés, Françoise soupira. En dépit du climat, elle aurait aimé que la route durât longtemps encore. Car à son terme, il y avait ce maudit monastère où son oncle avait résolu de venir s'enterrer.

— Cette fois, dit-elle d'une voix éteinte, le but est proche. Mais il est encore temps de renoncer...

— Françoise, ne fais donc pas l'enfant ! Nous en avons parlé cent fois... Ma décision est prise, mon petit, et je sais déjà qu'elle me rendra heureux.

— Après ce que l'Église nous a fait !

— Ce n'est pas l'Église en soi, que je viens servir ici. C'est d'abord Notre Seigneur, et puis ce sont les moines... Eux, sont bien étrangers aux folies de ce siècle.

Simon avait obtenu son admission, en tant que simple convers[17], dans la communauté cistercienne d'Ourscamp, fondée un demi-millénaire plus tôt par Waleran de Baudemont. Le choix de cette abbaye ne devait rien au hasard : la volonté du postulant avait été de se rapprocher, le plus possible, de Noyon...

— Vous allez donc vous occuper de leurs chevaux ? demanda Vincent pour montrer qu'il s'intéressait à l'oncle de sa femme.

— Ils élèvent là pas moins de deux cents cavales, approuva Simon. Dans des écuries magnifiques, et les plus belles pâtures du royaume !

Françoise observait les volutes de vapeur qui s'échappaient des lèvres de son oncle, et se dit qu'elle aurait aimé pouvoir garder cette voix, la conserver dans quelque boîte, bien à l'abri, pour l'écouter aux heures tristes... Cet homme avait tellement compté pour elle, depuis son plus jeune âge ! Après son mariage, elle était restée vivre avec lui, au hameau de Saint-Pierre, laissant son mari vaquer à son service auprès de M. de Coligny. Bien sûr, elle avait un peu souffert de l'éloignement de Vincent – mais en contrepartie, quelle tranquillité ! Elle en voulait donc à Simon de rompre à présent ce fragile équilibre, et ce, pour se faire moine – ou convers, elle ne voyait aucune différence.

Elle amena sa mule au niveau de celle de son oncle.

— Vous allez me manquer… murmura-t-elle, les yeux pleins de larmes.

— Tu viendras me voir, dit-il pour la rassurer. Pas trop souvent, tout de même…

Le tintement d'une cloche, étrangement net, les surprit comme un geôlier venant prendre livraison d'un captif. Ils cheminèrent encore un moment en silence – un silence que le froid rendait oppressant. Quand ils parvinrent à hauteur du chemin d'Ourscamp, sur la gauche, Simon les pria de ne pas l'accompagner plus loin.

— Maintenant, il faut me quitter, dit-il en mettant pied à terre. Vous allez suivre cette route tout droit, jusqu'au Pont-l'Évêque ; vous trouverez là de quoi vous restaurer. Et je vous défends bien de passer me voir au retour !

— Nous vous laisserons tranquille, déclara Vincent.

Cette assurance exaspéra Françoise. Descendue de sa mule, elle vint embrasser son oncle avec effusion.

— Porte-toi bien, mon enfant, dit-il, fais-nous de beaux enfants !

Il la bénit d'un signe de croix sur le front.

— Que Dieu te garde !

— Dieu vous garde, mon oncle, articula Françoise.

Elle faisait de gros efforts pour ne pas éclater en sanglots.

— Cette barbe vous va très bien, mentit-elle.

— Mais elle est déjà blanche...

Simon leva la main vers Vincent, demeuré en selle.

— Adieu, petit ! Prends grand soin de ma Françoise !

— Priez pour nous ! répondit le jeune homme, avec ce ton d'ironie qui rendait suspect le moindre de ses vœux.

Il avait déjà repris la route, et sa femme dut cravacher pour le rejoindre. Simon les regarda s'éloigner, le cœur serré ; il était heureux, sans doute, mais d'un bonheur infiniment triste. Il se remit en selle et prit le chemin de sa nouvelle demeure.

Château de Blois.

aspard de Coligny s'était levé tard, après une nuit réparatrice où il avait dormi comme une souche : le voyage depuis Bruxelles, effectué presque d'une traite – en tout cas sans longue halte –, l'avait épuisé. Il aurait aimé flâner encore, mais le devoir l'appelait chez le connétable, son oncle, afin de préparer l'audience du soir. Il s'étira longuement et sonna pour qu'on l'aidât à se préparer.

Depuis quelques semaines, Montmorency l'avait placé au centre des pourparlers de paix. Flanqué d'un diplomate averti, l'abbé de Basse-Fontaine, il avait ainsi mené, côté français, les tractations de l'abbaye de Vaucelles[18], et obtenu des conditions inespérées : le roi Henri conservait non seulement les Trois-Evêchés de Metz, Toul et Verdun, mais il voyait s'accroître son royaume de territoires aussi cruciaux que la Flandre, le Hainaut et le Luxembourg !

Un page lui apporta de quoi déjeuner.

— Voilà qui n'est guère appétissant, grogna-t-il en jetant un œil torve à l'assiette.

Il allongea le bras, décrocha de sa cape une fibule*, et se servit de l'épingle pour percer un œuf.

Certes, la volonté d'en finir du vieil empereur, soucieux de réussir ses abdications[19], avait préparé un tel succès ; mais on ne manquerait pas d'y voir aussi l'effet d'une habileté que les Montmorency, oncle et neveu, revendiqueraient haut et fort – au détriment des Guises...

Sitôt conclue la paix, l'amiral de Coligny avait envoyé un émissaire à la Cour, tandis qu'il se rendait lui-même à Bruxelles auprès de Charles Quint. Le vénérable monarque l'avait reçu fort civilement – en dépit de ses penchants pour la Réforme – et l'avait chargé de compliments pour le vieux sanglier d'Écouen, depuis trente ans son complice. Une idée vint au comte.

— Qu'on m'appelle vite un secrétaire ! ordonna-t-il, avant de gober deux œufs, coup sur coup.

Vincent Caboche, plus ébouriffé que jamais, se présenta presque aussitôt.

— Ah, vous êtes réveillé... Notez, je vous prie !

Le jeune homme posa son écritoire sur ses genoux, et trempa sa plume dans un encrier minuscule.

— *Lors de l'entretien qu'il nous accorda, l'empereur Charles prononça les paroles suivantes : « Ce siècle aura connu, dit-il, trois grands capitaines, à savoir : moi-même, le duc d'Albe et le connétable de Montmorency. » L'ayant repris sur ce qu'il oubliait Votre Majesté...*

Coligny s'interrompit pour laisser un peu de temps à son scribe.

---

* C'est une grosse agrafe à fermer les manteaux.

— *Je poursuis : L'ayant repris sur ce qu'il oubliait Votre Majesté, il me dit : « Vu son jeune âge et sa courte expérience, le roi Henri ne saurait encore avoir atteint ce grand nom et perfection. Mais il est déjà si brave et courageux et fils de France et ambitieux, qu'avec le temps, sans aucun doute, il y parviendra aisément. » La saillie m'a paru belle, et digne d'être rapportée ici...* Relisez !

Vincent s'éclaircit la voix.

— *Lors de l'entretien qu'il...*

Le comte l'interrompit.

— Vous n'avez mis aucun titre ?

— Non, monsieur.

— Comment appelleriez-vous ça ?

— Pour quoi pas « *Un mot plaisant de l'empereur Charles* » ?

Coligny sourit. Sur son long visage à la barbe effilée, le moindre amusement, la plus légère ironie se décelaient sans peine.

— Parfait. Donc ?

— *Lors de l'entretien qu'il nous accorda...*

— Vous ai-je déjà dit, le coupa de nouveau l'amiral, qu'un bon secrétaire se devait de présenter toujours un visage avenant ?

Caboche ne répondit pas. Mais au lieu de se détendre, il arbora des traits plus funèbres encore.

— Enfin, mon vieux, qu'avez-vous donc ? L'on dirait toujours que vous venez d'enterrer père et mère !

— C'est aussi, monsieur, que j'ai des raisons d'être triste...

— En êtes-vous bien certain ? Après tout, je me suis laissé dire que vous aviez la foi...

Le secrétaire leva les yeux.

— ... Voire, que vous n'étiez pas étranger aux idées de M. Calvin !

De triste, l'expression de Vincent se fit soudain craintive. Depuis cinq ans, il avait redouté d'être démasqué à la Cour. Mais il ne répondit pas davantage.

— Notez, précisa Coligny, que cela ne me regarde pas. Simplement, je me dis que si vous aviez un jour besoin de mon soutien...

— Monsieur me fait beaucoup d'honneur.

— C'est en frère, que je vous parle, non en supérieur – cela dit, le chapitre est clos. Relisez !

⁂

Le roi reçut le comte de Coligny pendant une heure entière, et – privilège insigne – le raccompagna lui-même jusqu'à l'escalier. De retour dans son cabinet, il observa le connétable qui jouait près du feu avec un petit chien.

— Votre neveu est un grand homme, maréchal.

— Sire, il n'a fait que suivre votre exemple.

— Non, le vôtre, et vous le savez...

Montmorency affectait le triomphe modeste ; il fit aboyer le barbet. Le roi se rassit à sa table.

— Ainsi donc, relança-t-il, l'ex-empereur vous regarde comme le meilleur après lui !

— Je ne vois là qu'un dernier trait contre Votre Majesté.

— Non... Le vieux Charles a de l'expérience ; il sait jauger les hommes. Du reste, je ne suis pas loin de partager son avis.

Montmorency s'inclina ; le petit chien sautait à ses pieds.

— Vous-même, à son âge, serez sans équivalent dans l'Histoire.

— Trêve de flatteries ! Au reste, je n'atteindrai peut-être jamais cet âge... Lisez donc cela !

Henri tendit au connétable un pli arrivé de Rome le matin même[20] ; le fameux Luc Gauric, astrologue attitré du pape, y apportait un complément à une prédiction vieille de cinq ans.

Montmorency déplia la lettre et lut la traduction inscrite en marge. Gauric avertissait le roi de dangers planant sur sa tête : notamment Henri devait, vers sa quarante et unième année, se garder de tout duel, sous peine d'une blessure à la tête pouvant entraîner la cécité, voire la mort !

— Voyez, mon compère, quel genre de fin l'on m'annonce !

— Fadaises ! décréta Montmorency. Enfin, sire, voulez-vous croire à ces marauds qui ne sont que menteurs et bavards ? Non, croyez-moi : jetez donc cela au feu !

— Et pourquoi ? Ces gens-là disent quelquefois la vérité ! Je n'ai cure de mourir, de cette manière ou d'une autre.

— Enfin...

— Peut-être même que cette mort-là me conviendrait. Pourvu que je parte de la main d'un brave, et que toute la gloire m'en revienne !

— Sauf que je ne vois pas bien dans quel genre de duel Votre Majesté pourrait risquer sa vie...

— Moi non plus... Mais qui sait ?

Le connétable prit le chien dans ses bras et le caressa rudement. Au vrai, il s'impatientait de cet échange, et d'autant plus qu'il avait à entretenir le roi d'un tout autre sujet. Profitant de l'état de rêverie où ses réflexions sur la mort avaient plongé Henri, le sanglier prit une autre coulée*.

— Ce qu'il y a de beau dans cette paix, lança-t-il, c'est que nos prisonniers vont retrouver leurs foyers...

— Vous allez revoir tous les vôtres, approuva le roi ; notamment votre fils aîné...

François de Montmorency avait été pris par les Impériaux lors du siège de Thérouanne, trois ans plus tôt.

— Vous savez, prévint Henri, que je lui réserve le gouvernement de Paris et de l'Île-de-France.

— La bonté du roi est sans limites... Toutefois, ces grands bienfaits que vous nous prodiguez ne résoudront pas tout. Et au-delà de son état, c'est le destin personnel de ce garçon qui, je l'avoue, me préoccupe...

— Je vous comprends ; c'est le père qui parle.

— François a vingt-cinq ans, sire ; il vient de passer trois ans en captivité... Vous-même connaissez trop l'état de prisonnier** pour savoir qu'on n'en revient jamais indemne.

— Hélas !

Le connétable avait dû faire un geste malheureux, car le barbet, dans ses bras, se mit à japper violemment, cherchant à mordre. Il le laissa se réfugier sous un coffre.

— Mais d'où sortez-vous donc ce chien ? demanda enfin le roi.

— Il est à Madame Diane, dit l'autre de manière évasive ; elle me l'a confié tantôt...

---

* C'est le nom du passage ordinairement formé par les allées et venues de ce gibier.

** Voir *La régente noire*.

Ainsi plaçait-il Diane de France, la fille légitimée du roi, au cœur de la conversation. Henri ne flaira pas le piège.

— Pauvre Diane ! soupira-t-il.

Il plaignait sa fille de la mort de son mari, Horace Farnèse, tombé au siège d'Hesdin, cinq mois et cinq jours seulement après leur mariage.

— Encore si jeune et déjà veuve, approuva le connétable. Quel âge a-t-elle, exactement ?

— Dix-huit ans, dit le roi, qui connaissait l'âge de tous ses enfants.

— Pour un peu, hasarda Montmorency, elle eût fait une épouse pour mon fils...

C'était aller loin dans l'audace que d'oser une telle ouverture. Diane de France n'était-elle pas de sang royal ? Seulement le connétable savait que le veuvage, en rajout de la bâtardise, était une traverse aux espérances de la jeune dame.

— C'est curieux, dit le roi, j'y songeais justement...

Le sanglier retint son souffle ; allait-il réussir ?

— J'y songeais, répéta Henri.

Meaux.

Dès qu'il avait su la nouvelle, Vincent avait pris congé de la Cour et s'était jeté sur la route de Meaux pour venir embrasser Françoise, la cajoler, la remercier de toute son âme. Ainsi, Dieu n'avait pas maudit leur union ; ainsi le Ciel leur accordait la grâce de fonder une famille ! Après tout, se disait-il, son crime n'était peut-être pas si grand : même sans cette confidence à la duchesse de Valentinois, Gautier de Coisay aurait fini par se faire prendre...

D'aussi loin qu'il la vit, la maison à pans de bois, avec ses hourdis ocre, lui emplit le cœur de la plus douce, de la plus troublante émotion. C'était donc là, chez son frère, dans ce discret foyer meldois*, que devait voir le jour l'enfant que Françoise allait lui donner ! Vincent espérait un garçon, mais il se disait que, de toute manière, leur famille serait nombreuse.

* C'est le nom des habitants de Meaux.

— Elle t'attend, lui dit Gilles Caboche, son grand frère, dès qu'il eut pénétré dans la cour.

— Comment va-t-elle ?

— Le mieux du monde, répondit l'autre en se chargeant du cheval. Elle est près de la grande cheminée.

Vincent, que le voyage n'avait même pas fatigué, grimpa les marches quatre à quatre, jusqu'à la salle principale de la maison. L'escalier, tout de bois, avait grincé sinistrement. Nanon, debout à côté de sa maîtresse, lui enjoignit par signe de faire moins de bruit : Françoise s'était assoupie. Trop tard. Elle clignait déjà de l'œil et, soudain transportée de joie, ouvrit grand ses bras à son époux.

— Oh, mon aimé ! s'émut-elle.

— Ma toute belle !

Avec des précautions inédites, Vincent l'attira jusqu'à lui et l'embrassa longuement.

— Comment te sens-tu ? demanda-t-il.

— Comme une femme heureuse...

— Heureuse, mais bien fatiguée, voyons-nous ? intervint Nanon.

— Fatiguée ? s'inquiéta Vincent.

— Pardi ! Elle ne peut rien avaler et ne dort presque pas !

— Maintenant qu'il est là, la houspilla Françoise, tout va rentrer dans l'ordre.

Un masque d'angoisse avait changé les traits du secrétaire.

— Françoise, dis-moi la vérité ! Cette grossesse est-elle difficile ?

— Elle est difficile, un peu... Mais qu'est-ce qui ne l'est pas ?

— Peut-être devrions-nous convoquer une matrone...

— Il en est venu deux ce matin, coupa de nouveau Nanon. Mais Madame ne fait pas ce qu'elles lui ont recommandé !

— Et qu'ont-elles recommandé ?

— Elles voudraient que je m'alite, concéda la jeune femme en haussant les épaules.

— Si c'est leur souhait, obtempérons ! trancha Vincent.

— Mais non, enfin...

Sans demander l'avis de sa femme, il la souleva et, précédé par une Nanon radieuse et soulagée, la porta jusqu'au deuxième étage où il la mit au lit lui-même. Françoise riait de cette espèce d'enlèvement et de ces précautions excessives.

— Vincent, allons...

— Tiens-toi tranquille !

— Embrasse-moi...

Gilles, le grand frère, franchit alors le seuil de la chambre.

— Il faut s'occuper de ma femme, lui lança Vincent sur un ton de reproche. Je ne veux plus qu'elle se lève du tout.

— N'est-il pas un peu tôt ?

Mais jusqu'au soir, le jeune époux se tint au chevet de son épouse pour l'empêcher de bouger ; il lui servit à souper lui-même, puis vint se coucher près d'elle pour la nuit, sans qu'elle ait pu se lever autrement que pour aller à sa chaise*.

— Je ne vais tout de même pas rester recluse ainsi pendant six mois, jusqu'à mes couches ! protesta Françoise, mi-excédée, mi-amusée des soins extrêmes imposés par son mari.

— Puisque les matrones te l'ont conseillé !

* On parle ici d'une chaise percée.

La jeune femme haussa de nouveau les épaules. Elle tourna vers Vincent un regard coquin, puis glissa hardiment sa main sous la chemise du jeune homme. Mais elle le trouva de marbre.

— Ce ne serait pas bien, dit-il. Pour l'enfant...

— Nous avons tout le temps, assura-t-elle. Allons, Vincent...

Elle se mit à le caresser avec fougue. D'un geste ferme, il saisit alors son poignet, l'écarta de lui, se retourna et lui souhaita bonne nuit.

Il avait pris la grossesse pour échappatoire, mais, à la vérité, c'est l'expansion de son remords qui le détournait ainsi de sa femme.

❖

Les craintes de Vincent n'étaient pas vaines ; dans les jours qui suivirent, Françoise se sentit prise de violentes douleurs à l'abdomen. Elle grimaçait, suait, se tordait parfois sur ce lit qu'elle n'avait plus le droit de quitter. Et la bonne Nanon, tout éplorée à ses côtés, ne pouvait que déplorer l'état très alarmant de sa maîtresse.

Le jeune époux, livide, plus échevelé que jamais, passait son temps entre le chevet de sa femme, l'office de ses frères, tabellions en ville, et la maison du pasteur. À ce dernier, Vincent eut la tentation, plusieurs fois, de confier son trop lourd secret. Mais il craignait que ce vieil ami de la famille n'en laissât deviner quelque chose à ses proches... Alors, trahissant sa propre foi, il se rendit dans la paroisse catholique la plus éloignée du bourg, et pénétra dans un confessionnal.

— Mon père, articula-t-il avec soulagement dans la pénombre, j'ai dénoncé moi-même mon beau-père, un fervent réformé, et c'est ce qui l'a conduit au bûcher.

— Je ne vois là aucun péché, mon fils. Vous avez agi selon les bons préceptes de Notre Sainte Mère l'Église…

— J'ai besoin de votre pardon ! Absolvez-moi, mon père, absolvez-moi !

— Mais puisque vous n'avez commis nul péché…

Et le volet du confesseur se referma sur ces mots.

❊

Après une semaine de longs tourments, Françoise se sentit si mal que l'on craignit pour sa vie. Nanon, agenouillée au pied du lit, mêlait ses prières à celles, ferventes, de Vincent. La meilleure sage-femme de Meaux se déplaça chez les Caboche en dépit de leur réputation de « religionnaires » et, prescrivant plusieurs sortes de tisanes, serra les mains du mari dans les siennes – trop précoces condoléances.

La fausse couche intervint le lendemain, affreuse, inexorable. Françoise crut en mourir de chagrin. Quant à Vincent, il prit cet arrêt de Dieu comme une punition personnelle, s'effondra de douleur, monta se flageller au grenier… Son attitude atteignit de tels excès qu'elle inquiéta tout le monde, et poussa la famille à exiger une explication.

— Je n'ai rien à vous dire, grogna le jeune homme accablé. C'est là une affaire entre Dieu et moi.

⁂

Un matin, Françoise se réveilla plus tôt que de coutume. Le vent soufflait sur la maison… Il faisait encore nuit. Elle sentit un vide auprès d'elle, tâta rapidement la couche, comprit que son mari n'était plus là. Quelle idée folle l'avait encore pris ?

Elle allait partir à sa recherche quand sa main rencontra un morceau de papier. Françoise s'en saisit : il s'agissait d'une lettre. Elle se leva, inquiète, ralluma une bougie au foyer, approcha la missive de la flamme. Ce qu'elle lut alors la figea de stupeur.

« *Ma Françoise,*

« *L'amour que je te porte est si grand qu'après m'avoir poussé au crime, il me donne encore la force de te le confesser. Puis-je espérer qu'un jour, passées la peine et la colère, tu pourras comprendre mon geste ? Je crains que non. Je sais que non.*

« *Françoise, les gens qui ont suivi ton père et l'ont arrêté agissaient sur délation. Or, je suis, moi ton mari, l'auteur de cet acte innommable. Te dire que je n'ai fait cela que dans l'espoir de t'épouser aggrave sans doute mon cas plus qu'il ne l'excuse…*

« *Ces derniers temps, mon remords était devenu tel que je ne pouvais même plus te regarder en face. Et la mort de notre enfant m'a confirmé la colère des Cieux.*

« *M'éloigner de toi, te perdre à jamais, voilà une sanction terrible et inhumaine. Mais je sais que je la mérite.*

« *Montre cette lettre à mes frères. Ils te donneront ma part de l'héritage de mon père. Et puis essaie de m'oublier, moi qui ne penserai jamais qu'à toi. Ou bien, prie pour moi comme je le ferais pour nous, si mes prières avaient encore la moindre valeur.* »

La lettre était signée *Vincent*.

Françoise, défigurée par l'horreur, eut le sentiment que son esprit, soudain détaché de son corps, se promenait dans la pièce et observait son propre saisissement. Vincent, son cher Vincent, était donc celui par qui son père avait péri ? Et elle avait désobéi, par-delà le tombeau, pour accueillir ce traître meurtrier, et le choisir, et l'épouser ! Et lui donner un enfant ! Le dégoût, la répulsion qu'elle éprouvait de toutes ses fibres, la firent vomir jusqu'à l'évanouissement.

Mais la jeune femme eut le courage inouï de relire cette lettre affreuse.

Puis, pendant un temps infini, elle demeura immobile, le papier pendant au bout de ses doigts comme une peau morte. Enfin, tandis qu'un soleil neutre grimpait à l'horizon, elle revint à elle, passa un manteau sur ses épaules, des mules à ses pieds. Elle descendit l'escalier. Elle sortit par la porte de l'office, traversa la cour, gagna les bords de la Marne. Elle demeura tout un moment sans bouger dans le vent froid, fixant d'un regard vide les flots gris comme des écailles, charriant de lourds branchages.

Elle allait se donner à eux quand elle se sentit ceinturer par des bras potelés, et happée en arrière. Elle tomba sur la berge, toujours cramponnée par Nanon qui pleurait comme une enfant. Françoise aurait voulu l'embrasser, la rassurer ; seulement la brave femme la tenait ferme et ne paraissait pas prête à desserrer son étreinte.

Paris, hôtel neuf de Montmorency.

C'est dans son hôtel neuf de la rue Sainte-Avoye, que le connétable accueillit à grand bruit son fils aîné, enfin restitué, enfin libre ! François de Montmorency, pendant ses trois années de captivité, avait pris un peu d'embonpoint et perdu l'étincelle qui, jadis, animait son regard sombre ; mais il demeurait un jeune et bel homme de vingt-cinq ans, à qui l'existence semblait vouloir sourire. Dès sa libération, le roi l'avait fait, par amitié pour son père, gouverneur de Paris et de l'Île-de-France – avec le collier de l'ordre de Saint-Michel. Il hériterait un jour de propriétés opulentes et des revenus afférents. Quant à son mariage, lui seul en France ignorait encore l'étonnant parti qu'on lui destinait.

— Mon fils, redit le connétable en serrant François sur son cœur, je vis ce jour comme le couronnement d'une carrière déjà trop longue. Si Dieu veut, je ne tarderai pas à suivre l'exemple de Charles Quint, et à te confier les rênes de notre Maison.

— Laissez-lui le temps de se remettre, le malheureux ! lança Madeleine de Montmorency en s'agrippant au bras de son fils retrouvé. Viens, François, je vais te montrer la salle du banquet.

— Eh bien, c'est cela, banquetons, banquetons ! approuva le connétable, tout attendri.

Pour ce qu'il regardait comme une apothéose, Anne de Montmorency s'était assuré le concours des meilleurs pâtissiers et rôtisseurs, du plus parfait maître d'hôtel et de musiciens réputés. Mieux : sous un prétexte oiseux, il avait eu l'aplomb de convier celle qui était devenue son adversaire à la Cour : la duchesse de Valentinois en personne.

— Tout est si beau, ici, avait minaudé Madame en descendant de litière ; on croirait un décor de noces...

— C'est que nous allons célébrer, en quelque sorte, des fiançailles, avait confirmé le connétable.

En effet, l'invitée d'honneur de ces fêtes était la jeune Diane de France, fille légitimée du roi et filleule de l'autre Diane... Son maintien strict et ses voiles de veuve la faisaient paraître un peu plus que ses dix-huit ans, mais elle était avenante, et bien satisfaite des projets discrets dont on l'avait avertie. Elle fut assise à table à la droite de François, de sorte qu'il s'occupa d'elle avec courtoisie.

On était encore en carême, et le festin, loin d'en souffrir, n'en fut que plus étourdissant. On vit ainsi défiler quantité de poissons de rivière, mais aussi de mer – ainsi qu'un dauphin tout entier – et des coquillages, des escargots accommodés de trois manières, des laitages de toutes sortes, des légumes et surtout des fruits – en pâte, en gelée, en croûte, en crème – à profusion.

— Eh bien, François, demanda le connétable à son fils, quand les buffets furent garnis du dernier service. Que te semble-t-il de ta voisine ?

— Elle est charmante, consentit le jeune homme. Tout à fait charmante...

Le père se rengorgea. La musique et les bavardages couvraient leurs propos, autorisant une conversation discrète, à l'oreille.

— Pour une dame de sang royal, n'est-ce pas qu'elle est de bonne compagnie ?

— Certes, approuva François, mais... Puis-je vous demander la raison de cette insistance ?

Le connétable fut pris, soudain, d'une hilarité sans doute facilitée par les vins fins...

— C'est que... Vois-tu, le roi avait pensé...

Le jeune héritier, lui, ne riait plus du tout.

— Pensé quoi ?

— Sa Majesté consentirait à te donner sa fille pour épouse.

François ne répliqua pas, mais il se figea comme une statue de sel. Son père avait remarqué la nervosité de l'invitée d'honneur ; il la rassura d'un sourire. Puis il revint à la charge.

— C'est tout ce que cela t'inspire ?

— Père, je serai désolé de vous décevoir, mais je ne puis en aucun cas accepter l'offre du roi.

— Et pourquoi ?

Le connétable voulait continuer à sourire. Son fils se pencha pour lui parler, cette fois, dans le creux de l'oreille.

— Eh bien... Je crois qu'il faut que je vous parle en privé.

— Dans ce cas, allons-y tout de suite !

— Mais...

— J'ai dit : tout de suite !

Ils se levèrent de table et, devant l'assistance ébahie, quittèrent la galerie ensemble.

— Je crains qu'ils n'aient un peu bu, s'excusa la duchesse de Montmorency en s'adressant aux deux Diane d'un seul mouvement.

Celles-ci sourirent poliment. L'un était sincère. Plus que l'autre.

⁂

La rumeur du banquet, que l'on percevait nettement, contrastait avec le silence régnant à présent dans le cabinet d'Anne de Montmorency. Celui-ci, debout près d'une fenêtre, avait croisé les bras, ce qui n'annonçait rien de bon. Son fils, assis sur le bord d'un coffre, avait joint, quant à lui, ses mains sous son menton.

— Est-ce que tu es conscient de la faveur insigne que le roi nous réserve ? Il te donne sa fille ! Il nous fait entrer dans sa famille !

— Par la porte des communs...

— Mais...

Sans prévenir, le connétable frappa violemment contre un volet. Son exaspération était sensible.

— Depuis quand mon fils se montrerait-il plus sourcilleux que son père lui-même, sur les honneurs qu'on lui fait ?

— Eh bien...

— Depuis quand ?

Nouveau coup-de-poing sur le volet, qui vibra comme une cible de tir. Le sanglier s'approcha de son fils et, se pliant vers lui, posa ses deux gros poings sur le coffre. Il semblait que de la fumée allait sortir de lui.

— François, demanda-t-il d'une voix soudain très douce, peux-tu expliquer à ton père à quel jeu tu essaies de jouer ?

Le jeune homme tourna la tête, regarda son père dans les yeux, soupira puis, s'armant de courage, entreprit de lui révéler la vérité.

— Père, commença-t-il, vous connaissez le respect infini que vous m'inspirez, et savez bien que je ne ferai jamais rien qui puisse vous déplaire. Cette fois encore, croyez-moi, je ne demanderais mieux que de vous être agréable.

— Eh bien alors...

— Malheureusement, quand je le voudrais, je ne puis du tout épouser la fille du roi. J'en suis navré.

— Et pourquoi non ?

— Parce que...

Le jeune héritier déglutit péniblement. Son visage rougissait à vue d'œil.

— Parce que je me suis engagé à épouser une autre femme[21].

Il y eut un long, un très long silence.

— Réponds-moi : t'es-tu marié en secret ?

— Non ! Non... C'est une promesse que j'ai faite.

— À la bonne heure, ce n'est que ça !

— Mais c'est une promesse solennelle, Père. Aux yeux de l'Église, cela vaut pour un mariage ! Au surplus, j'aime cette demoiselle. Je l'aime autant que ma vie, peut-être davantage !

Ce fut le mot qu'attendait la colère du connétable pour se donner libre cours. Anne se jeta sur son fils, le frappa en désordre comme on rosserait un valet, le traîna dans la pièce. Le pauvre François, pelotonné sur lui-même, laissait les coups s'abattre sans riposter.

— Maudit mouton galeux de fils indigne ! hurlait le connétable. Maudit ! Maudit !

Un laquais tenta d'entrouvrir une porte ; le connétable la lui claqua au nez.

— Père, priait François, non, Père !

— Comment s'appelle cette... Cette fille, cette traînée ?

— Ce n'est pas une fille, se rebella le jeune homme, en essuyant sur sa manche le sang qui lui coulait du nez. C'est mademoiselle de Piennes, une très bonne et très honnête personne...

— Je vais la tuer aussi ! hurla le connétable.

— Tuez-moi plutôt !

— Aussi !

Anne de Montmorency attrapa sur une table une très belle dague de chasse, cadeau de l'empereur Charles, et cramponnant son fils de l'autre main, le plaqua au mur, prêt à le saigner.

— Père ! gémit François.

— Quoi ?

Il parut s'éveiller d'un rêve, demeura interdit un instant, puis lâcha le jeune homme et fit quelques pas dans la pièce avant de s'effondrer sur lui-même, comme un géant terrassé de l'intérieur. Il se mit à sangloter bruyamment, agenouillé sur le parquet. Jamais encore François n'avait vu son père dans un tel état ; il fit le geste de s'approcher mais, bouleversé par tant de drame, choisit de quitter discrètement le cabinet.

— À quoi bon tout cela ? gémissait, dans son dos, le connétable.

Quand François voulut sortir, il découvrit avec consternation que les invités, alertés par tant d'éclats, s'étaient rassemblés dans l'antichambre, et n'avaient rien perdu du terrible entretien.

❋

Pendant deux semaines entières, le connétable demeura prostré dans sa chambre, comme étranger à tout. Il ne redevint lui-même, le temps d'une colère violente, qu'en apprenant que Damville, son deuxième fils, avait le front de soutenir son frère. L'amiral de Coligny vint le voir deux ou trois fois, et tenta de le secouer – en vain. Le roi lui-même, de retour à Paris, fit le déplacement, et tenta de raisonner son vieux compère.

— Sire, répétait Montmorency d'une voix mourante, dire que vous aviez tout donné à cet ingrat !

Les ennemis du connétable faisaient des gorges chaudes de ce drame familial, offert en pâture à la Cour comme à la Ville. Les Guises s'en amusaient plus que quiconque, mais ils conservèrent – en habitués du monde – la prudence de feindre la consternation. Mieux : le cardinal de Lorraine osa se présenter rue Sainte-Avoye pour offrir à son vieil ennemi le secours de son entremise.

Et contre toute attente, le connétable l'accepta.

— Réunissons au Louvre une commission d'évêques devant laquelle comparaîtront votre fils et cette Jeanne de Piennes, avait proposé le prélat. La commission assignera la demoiselle au couvent des Filles-Dieu, et forcera votre fils à se rendre lui-même, à Rome, sous bonne garde, afin d'y demander en personne au Saint-Père l'abolition de sa promesse. Ainsi, tout rentrera dans l'ordre, et François pourra épouser la fille du roi !

— Vous croyez ? demanda piteusement le connétable.

Pour un peu, il aurait embrassé ce méchant archevêque de Reims[22]. Il était loin d'imaginer la version que ce prélat, le soir même, devait donner à ses frères : « La commission portera les démêlés des Montmorency sur la place publique, l'envoi au couvent de la jeune promise soulignera la dureté de leur ambition, et la capitulation forcée de l'héritier achèvera de les ridiculiser ! »

— Je vous suis reconnaissant de vos bonnes intentions, déclara pourtant le connétable au cardinal, en prenant congé de l'homme en rouge.

— C'est un tel bonheur de pouvoir enfin vous être utile, répondit M. de Lorraine.

Ils se quittèrent sur un petit signe de la main, bien chaleureux.

Paris, la « Petite Genève[23] ».

Le jeune pasteur prononça les paroles de Paul aux Thessaloniciens.

— Recevons la bénédiction de la part de Dieu : « Le seigneur de la paix vous donne lui-même la paix, en tout temps et de toute manière. » Amen.

Ainsi s'acheva l'office clandestin du dimanche. La petite assemblée se congratula un moment, puis elle se dispersa sans éclats, quittant par grappes l'auberge à l'enseigne du Vicomte, dans la rue des Marais*. Le soleil était brillant pour la saison et donnait à ce quartier aéré, peu bâti, des airs de campagne printanière.

Dans la cour de l'auberge, Françoise de Coisay n'en frissonnait pas moins sous sa pelisse fourrée ; son compagnon lui frictionna le dos et les épaules.

— Surtout, ne prends pas froid, dit-il. Tes bronches sont fragiles... Allons, viens !

---

* C'est aujourd'hui la rue Visconti dans le VIe arrondissement.

Elle sourit de ces attentions quasi paternelles.

— Juste un moment, dit-elle en feignant d'attacher son chaperon. Leur conversation m'intéresse.

Elle désignait trois fidèles qui, dans un coin, dégustaient du vin chaud.

— Elle est toujours aussi belle, disait le plus âgé. Mais sa conduite est devenue irréprochable.

— Si le vieux roi avait vécu, elle aurait pu nous aider, dit un autre.

— Penses-tu ! La vie de Cour s'accommode mal des convertis !

Françoise ne perdait pas un mot de leur échange.

— Ils parlent de la duchesse d'Étampes, n'est-ce pas ? demanda-t-elle.

— Le plus simple est de leur poser la question.

Il s'avança vers le petit groupe, et salua le plus grand des trois, qu'il avait l'air de connaître.

— La Forest ! l'accueillit en effet celui-ci. Une chope de vin chaud, peut-être ?

— Volontiers. Mais dites-moi : ne seriez-vous pas en train de parler de la duchesse d'Étampes ?

— Oui-da ! Vous la connaissez ?

— Je n'ai pas cet honneur. Mais la jeune dame qui m'accompagne aurait fort aimé la rencontrer. Raisons de famille…

C'est le plus âgé qui répondit.

— Rien de plus simple, l'ami. Puisque vous semblez être des nôtres… Revenez ici à trois heures de relevée ; je vous conduirai chez elle. Vous vous appelez La Forest, c'est cela ?

— Godefroy du Barry, seigneur de La Renaudie, pour vous servir. Mais on m'appelle surtout La Forest.

— Très bien. À trois heures, donc.

Le plus grand revint avec une chope fumante. Godefroy en but une gorgée, puis la tendit à Françoise. Tout en sirotant doucement, à la manière d'un chat, elle plongea ses yeux dans ceux du Périgourdin ; il l'amusait ; il la rassurait...

Accourue à Paris pour y chercher Caboche – elle avait l'idée fixe de tuer ce traître infâme – elle s'était trouvée démunie, sans relations dans la capitale. Ses beaux-frères lui avaient indiqué l'auberge du Vicomte, et c'est là qu'elle avait croisé La Forest. Le jour même de son arrivée ! Elle aurait pu lui en vouloir, à lui aussi, d'avoir attiré son père dans des missions si fatales, mais la nostalgie du bon temps avait été plus forte que ces griefs un peu vains.

Il l'avait accueillie, protégée, calmée surtout ; elle avait remercié le Ciel de le lui envoyer.

— Françoise ? À quoi rêves-tu ?

— À toi, peut-être...

— Alors, rêve, ma belle !

❋

Depuis qu'elle avait laissé son oncle au bord d'une route, devant son abbaye d'Ourscamp, pas une journée n'avait passé sans que Françoise ne ressentît son absence de manière aiguë. Bien sûr, son père lui manquait, et parfois sa sœur... Mais pour Simon, c'était autre chose ; il lui semblait que le besoin était plus tangible, comme une fringale inassouvie. Quand elle avait appris l'effrayante vérité sur Caboche, il eût été le seul à pouvoir la comprendre vraiment, le seul à savoir la consoler. Pourtant, elle s'était bien gardée de l'avertir – même par courrier. Elle aurait craint de lui faire trop de peine, et ne voulait surtout pas le détourner de ses chevaux et de ses pâturages…

Ce dimanche-là, assise comme une vraie dame dans le salon d'Anne de Pisseleu, duchesse d'Étampes, elle pensa si fort à son oncle qu'elle eut le sentiment qu'il était là, tout près d'elle, pour la présenter dans les formes et lui éviter le moindre impair.

— Ainsi donc, mademoiselle…

— Madame.

— Pardon. Ainsi, vous êtes la fille de Gautier de Coisay…

— Vous vous souvenez de lui ?

La duchesse ouvrit tout grand ses yeux sublimes. Elle se mit à rire de bon cœur, quoique sans méchanceté perceptible.

— Si je m'en souviens ? Mais mon enfant, votre père fut un ami bien cher, pour moi…

Françoise rougit un peu, hésitant à réaliser ce que cachait cette déclaration.

— Mon oncle m'a beaucoup parlé de vous.

— Votre oncle… Mais oui, naturellement ! Simon, n'est-ce pas ?

Françoise approuva du chef ; elle était tellement fière que cette grande dame se rappelât les simples frères de Coisay ! La duchesse s'absorba un moment dans ses souvenirs.

Encore très belle, à près de cinquante ans, mais finement ridée, et vieillie sans doute par des cheveux devenus tout blancs, la duchesse d'Étampes avait conservé le noble port de tête, le regard vaguement hautain, les manières exquises du temps où elle était la maîtresse en titre de François Ier – et l'une des plus belles femmes de ce royaume. Mais pour le reste, sa robe de linon noir, des plus simples, et les minces dentelles qui la bordaient, paraissaient à mille lieues des fastueux brocards et des résilles d'or de sa jeunesse, lorsqu'elle portait, brodées à même le corsage, les plus grosses perles de la couronne.

— Celle que j'étais alors et celle que je suis devenue sont aussi différentes qu'il est possible de l'être, dit-elle après quelques politesses. Mais ce qu'il y a d'étrange, c'est qu'on ne pourrait faire de différence entre les souvenirs de l'une, et ses sentiments, et les souvenirs et sentiments de l'autre ! « Le renard change de poil, fait dire Suétone au vieil esclave, mais non de caractère... »

Une telle référence, dans la bouche d'une ancienne favorite, ne surprit nullement Françoise ; elle avait si souvent ouï Simon vanter sa culture et ses lettres ! Ne la disait-on pas, du temps de sa splendeur, « la plus belle des savantes, la plus savante des belles » ?

La fille de Gautier avait cent questions à poser à celle qu'avait aimée son père, et qu'elle semblait avoir aimé aussi, parmi tant d'autres sans doute... Mais on ne lui en laissa pas le loisir.

Sans se soucier du tout de ses attentes, sans même s'enquérir de l'objet de sa visite, la duchesse se mit à lui confier sans façons des réflexions et presque des morales, comme elle l'eût fait à une vieille amie. Sans doute la visiteuse lui inspirait-elle confiance.

— Voyez-vous, mon enfant, je crois qu'il faut avoir beaucoup vécu, beaucoup péché, pour prétendre accéder à quelque sagesse, comme aux premiers degrés de la vertu. Celles qui s'enferment trop jeunes dans une conduite trop droite ne peuvent pas se connaître assez pour désirer vivre en Vérité.

Elle répéta : « vivre en Vérité ».

Françoise donnait le sentiment de boire ses paroles, et de les approuver. Peut-être en perçait-elle toute la justesse.

— Pour combattre en soi les innombrables faussetés imaginées par le diable, encore faut-il leur avoir donné licence de s'épanouir, de se montrer dans toute l'ampleur de leur mauvaiseté. Comment voudriez-vous combattre un ennemi qui ne se serait bien montré, bien révélé ? Pour revenir de certaines errances, il faut les avoir éprouvées pleinement. J'ai beaucoup péché, mon enfant, et d'autre manière, je commets encore certaines fautes... Seulement, voyez-vous, si j'ai compris une chose, c'est que la faute est moins dans les accidents de parcours que dans le choix même du chemin que l'on prend.

Françoise sourit ; elle croyait entendre son oncle.

— Rien n'est plus aisé que de rentrer en bonne voie, rien n'est plus malaisé que de s'y maintenir. C'est une sente ténue, bien fine. Autant marcher sur un fil... Savez-vous, madame, comment on reconnaît le bon chemin ?

— Non, madame...

Anne de Pisseleu esquissa un sourire : le sérieux et l'attention de Françoise la flattaient sans doute. Peut-être s'y reconnaissait-elle ; à moins qu'elle n'y reconnût quelque chose de Gautier... Elle prit la main de la jeune femme et la dirigea vers son estomac.

— Le bon chemin, mon enfant, procure une joie brûlante ici même, une joie rayonnante et qui dure... Aimez-vous les animaux ?

— L'on me dit bonne cavalière.

La duchesse ne retint pas cette réponse.

— Aimez-vous les chiens ou les oiseaux ?

— Je les aime beaucoup.

— Alors observez-les, longuement, pendant des heures si vous le pouvez. Vous finirez par sentir qu'eux rayonnent toujours. Leur esprit est moins perfide que le nôtre ; il ne cherche pas à les dévoyer en permanence... Mais après tout, c'est aussi la grandeur de notre condition : lutter contre la part futile en nous, au profit d'une part plus sage et toutefois plus heureuse – c'est cela : employer la force de cet esprit indocile pour jouir en conscience de la beauté de toute chose...

Le soir était venu, et le vieux maître d'hôtel apporta trois ou quatre chandelles afin de donner du jour à la pièce. Françoise se sentait tellement apaisée, dans la compagnie de cet étrange ermite, qu'elle aurait voulu que l'entretien durât toujours.

— Parliez-vous ainsi avec mon père ?

La duchesse d'Étampes ignora la question. De même, elle évitait sciemment toute allusion à sa trop brillante jeunesse, pendant les vingt années qu'avait duré une faveur sans nuage. Elle posa quelques questions transitoires à la jeune femme sur sa foi, sur la « petite Genève », sur les assemblées réformées de l'auberge du Vicomte... Puis la conversation roula de nouveau, et comme par gravité naturelle, sur la vie, la mort et l'amour.

— L'amour peut être trompeur... hasarda Françoise, soudain rembrunie.

Ce qu'elle avait subi avec Vincent la rendait réticente à ce simple mot. Anne de Pisseleu sourit.

— Il l'est, comme tout ce qui vient de là, dit-elle.

Or, plutôt que le cœur, elle désignait la tête.

— Ce que vous ressentez, à chaque instant d'une affaire amoureuse, est forcément très vrai, très beau, précisa-t-elle ; c'est ce que vous en pensez qui vient tout gâter. Nos affaires de cœur sont comme un raccourci frustrant pour accéder à la route – je dis frustrant, car elles ne mènent jamais qu'au balcon en surplomb. Vous comprenez ce que je dis là ?

Françoise secoua la tête en signe d'excuse : elle avait atteint ses limites.

— Qu'importe, soupira légèrement la duchesse ; un jour, vous comprendrez. Mais surtout vivez, mon enfant, vivez ! Ne vous économisez pas !

Elle se leva pour raccompagner elle-même une visiteuse encore sous le charme, quoique déçue de n'avoir pu vraiment parler de son père. Anne le comprit-elle ? Ou bien laissa-t-elle, selon ses axiomes, l'inspiration du moment lui dicter la phrase juste ?

Voici ce qu'elle déclara, en guise d'adieux, sur le pas de sa porte.

— J'ai eu, jadis, un très beau domaine. À Limours. Jamais il n'avait été si parfait, et jamais plus il ne le sera, que le très beau jour où votre père m'y a rendu visite*.

Françoise ne s'attendait pas à cela ; elle fondit en larmes. Alors la duchesse lui offrit, « en sou-

* Voir *Les Fils de France*.

venir d'elle », un petit mouchoir de soie brodée d'argent – de l'étoffe la plus riche, la plus raffinée que la jeune femme eût jamais vue.

※

Ce soir-là, pour la première fois, la fille de Gautier donna son corps et son cœur au seigneur de La Renaudie. Il ne déçut pas ses attentes, et la mena loin dans la volupté, lui révélant des trésors de sensualité sans rien écorner de l'honneur, du respect, de l'infinie gratitude où s'inscrivait leur union.

Et lorsque, repu, il s'assoupit aux côtés de la jeune femme comblée, il se garda bien de lui révéler qu'à deux ou trois moments, il n'avait pu s'empêcher de se rappeler l'oncle en découvrant la nièce.

Chapitre VI

Le régicide

(Été et Automne 1557)

Paris, hôtel de ville.

Tout à ses déceptions familiales, le connétable de Montmorency avait négligé les grands événements qui, en Italie, allaient bousculer l'équilibre de la péninsule. C'était la limite de sa trêve de Vaucelles ; ce fut le socle où s'appuyèrent les va-t-en-guerre de la Cour – menés par la duchesse de Valentinois.

Dès le printemps 1555, François de Guise et son frère, le cardinal de Lorraine, avaient poussé sur le trône de Saint Pierre un pontife, Paul IV, hostile entièrement aux Habsbourg. Ce nouveau pape étant allé jusqu'à excommunier Charles Quint et son fils, Philippe II, les Espagnols prirent possession de Rome en septembre 1556. Le roi de France, incapable de voler assez vite au secours du chef de l'Église, n'en prépara pas moins une riposte, confiée au duc de Guise, et dont le but secret n'était rien moins que la conquête du royaume de Naples ! Or, quoique très coûteuse – plus de cent mille écus par mois – cette expédition se révéla stérile. La politique des Guises, une fois de plus, coûtait beaucoup et ne rapportait rien.

Mais tandis que les Espagnols tenaient les Français en échec dans toute l'Italie, le duc de Savoie, Emmanuel-Philibert, attaqua le royaume sur sa frontière nord-est, écrasant l'armée de Montmorency devant Saint-Quentin, le 10 août 1557 – jour de la Saint-Laurent[24]. Ce désastre apparut comme un nouvel Azincourt, ou comme la réédition de Pavie : trois mille morts, cinq mille blessés, six mille prisonniers dont le maréchal de Saint-André et le connétable en personne ! Le roi lui-même ne dut qu'à son absence de n'avoir pas été pris. Quant à la place de Saint-Quentin, héroïquement défendue par Coligny, elle devait se rendre le 27 août.

La grande question était de savoir si le roi Philippe allait profiter d'une si belle occasion de marcher sur Paris.

Henri II prit le chemin de Compiègne afin d'y lever de nouvelles troupes et de préparer la défense de sa capitale. À Paris même, parmi les missions qui revenaient à la reine Catherine, la plus urgente était de trouver des fonds.

Elle y mit toute son énergie.

Déjà, un an plus tôt, elle avait envoyé à Lyon un émissaire de confiance pour obtenir des marchands florentins de cette ville une avance destinée à l'expédition de Guise. Cette fois, elle décida de se rendre elle-même à l'hôtel de ville, pour y solliciter l'assistance du corps municipal.

❋

Le 13 août, la reine et sa belle-sœur, Marguerite de Valois[25], se rendirent en coche[26] jusqu'à la place de Grève. Les Parisiens n'étaient pas habitués à ces espèces de nacelles roulantes, qui grinçaient et craquaient au gré de la chaussée. Aussi s'agglutinèrent-ils par curiosité autour du véhicule, barrant le passage au cardinal de Lorraine, au garde des Sceaux et aux dignitaires qui suivaient en litière... Déjà les princesses, évitant les flaques d'une récente averse, avaient disparu dans l'édifice couvert d'échafaudages[27].

Catherine portait le grand deuil, comme l'exigeaient les circonstances ; mais aux parures blanches des reines, elle avait préféré le noir, plus conforme peut-être à la gravité de l'heure – à moins qu'elle ne l'eût trouvé plus spectaculaire... Émergeant de cette masse sombre, sa petite tête au front bombé, aux bonnes joues déjà tombantes, semblait celle d'une poupée greffée sur un corps de son.

Perrot, prévôt des marchands, accueillit la souveraine avec force révérences et compliments. Mais sa déférence outrée n'en tranchait que plus sur l'attitude réservée, pour le moins, des échevins, présidents de chambres et autres magistrats, réunis en assemblée générale. Leurs visages tendus, leurs regards plissés, trahissaient en effet la plus vive méfiance envers une couronne vaincue et endettée ; la plupart semblaient décidés à refuser le moindre soutien à une politique belliqueuse qu'en un mot, ils désapprouvaient.

La reine Catherine n'avait guère le choix des armes : elle tenta de les prendre par les sentiments.

D'une petite voix presque enfantine, où perçaient des pointes florentines, elle plaignit d'abord le sort des soldats tombés à Saint-Quentin, dont M. d'Enghien, et se demanda s'il n'était pas, à tout prendre, préférable encore à celui des malheureux captifs, emmenés par l'ennemi vers des geôles où, peut-être, ils finiraient leurs jours... Ainsi Mgr le connétable lui-même se retrouvait-il, plus de trente ans après Pavie, prisonnier comme il l'avait été alors, aux côtés du feu roi François, de si haute mémoire.

Les échevins se signèrent. L'allusion à Pavie était habile, et voulait insinuer que les plus grands règnes n'étaient pas à l'abri de revers militaires.

— Aujourd'hui, poursuivit Catherine d'une voix vibrante, ce qui est le plus à craindre est que le nouveau roi d'Espagne ne prenne la résolution de marcher sur Paris. Car dans ce cas funeste, nul ne serait en mesure de lui barrer le chemin.

La voix de Catherine se brisa sur ces mots, et l'on sentit l'assistance frémir d'émotion, et céder à la frayeur.

— Nos forces vives, dit la reine, sont actuellement au royaume de Naples. Nous offrons à l'ennemi un front tout dégarni, et pour le roi Philippe, entrer dans Paris, tout tuer, tout piller, serait l'affaire de quelques jours !

Cette fois, c'est un brouhaha d'émotion qui accueillit ces propos. Catherine, le port digne, le front bien haut, parcourut l'assistance de son regard perçant, couleur de noisette. Elle attendit que le calme revînt.

— L'Espagnol est donc à nos portes. Devons-nous le laisser entrer ? Pouvez-vous, messieurs, accepter que la capitale de la France se laisse ravager sans réagir ? C'est pour parer au plus pressé que le roi, mon époux, a déjà gagné

Compiègne. Il peut lever là-bas des gens tout neufs, à opposer à l'avancée sauvage de l'ennemi. Mais ces troupes tellement salutaires, qui les soldera ? Comment les payer ? Où trouver l'argent qui pourrait nous sauver tous ?

Dans le silence qui s'était emparé de l'assemblée, les mots, clairs et forts, de la souveraine, raisonnaient avec tout l'accent de la majesté royale. Catherine le sentit bien ; et pour la première fois depuis son mariage, un quart de siècle plus tôt, il lui parut que ces satanés Français la considéraient enfin avec respect.

— Je suis venue ici, devant votre compagnie représentant toute la ville, pour vous supplier bien humblement de nous aider à lever très vite les dix mille hommes de pied nécessaires. Voilà ce que peut faire, voilà ce que doit faire le bon, le brave peuple de Paris.

La reine s'interrompit un instant pour essuyer ses larmes avec un mouchoir de dentelle. Elle n'était plus la seule à pleurer.

— Si par bonheur, messieurs, vous y consentiez en son nom, je vous promets solennellement de me faire, à jamais, l'avocate de votre belle ville et de ses habitants auprès de Sa Majesté le roi, mon époux, comme auprès de mon fils, monseigneur le dauphin. C'est une dette que j'aurais toujours envers vous.

La reine avait à peine prononcé le dernier mot que la salle explosa en un tonnerre d'applaudissements. On acclama longuement son discours. Oubliées, les tensions, balayée, toute méfiance : dans un enthousiasme sans précédent, l'assemblée générale vota sur-le-champ un octroi spécial de trois cent mille livres !

❊

Le sourire était revenu sur le visage de Catherine ; elle remercia chaleureusement ces messieurs, salua encore de bonne grâce, sous les vivats et les hourras ; puis elle quitta l'hôtel de ville bien plus grande, bien plus reine, qu'elle n'y était entrée.

Alors qu'elle redescendait l'escalier, elle échangea un court regard de complicité avec sa belle-sœur. Marguerite y lut un peu de fierté pour le présent, beaucoup d'ambition pour l'avenir.

Paris, hôtel neuf de Montmorency.

L'incroyable nouvelle de la capture de son père avait abasourdi François de Montmorency. Comme tout le monde, il était stupéfait que, plus de trente ans après Pavie, le grand homme pût retomber ainsi dans les rets de l'ennemi. Mais chez lui, cette mauvaise nouvelle se doublait, forcément, d'un secret dépit : à quelques semaines près, se disait-il, il aurait pu échapper à ce mariage qui – François était convaincu – ferait le malheur de son existence. Car il avait dû, finalement, épouser cette Diane de France, fille naturelle du roi et jeune veuve d'Horace Farnèse.

Rentré à Paris dans la foulée du désastre, il avait rendu visite, bien ponctuellement, à sa mère, puis à la reine Catherine, ainsi qu'à la duchesse de Valentinois dont l'affliction publique était aussi éclatante, disait-on, que sa jubilation intime : alliée des Guises plus que jamais, elle considérait, en privé, que le désastre de la Saint-Laurent devait être imputé au seul connétable, et que c'était justice que de le voir à présent aux mains de l'ennemi.

François prit ses quartiers dans l'appartement même de son père. Il avait craint, comme tout le monde, les intentions du roi Philippe ; puis, comprenant que les Espagnols laissaient passer la chance, et qu'ils aimaient mieux renforcer Saint-Quentin que conquérir Paris, il s'était installé, en attendant l'appel du roi, dans le confort paradoxal des trêves et des suspensions d'armes.

Il reçut bientôt de son prisonnier de père une longue missive où le connétable, tout mortifié, lui donnait maints conseils pour défendre leurs intérêts à la Cour et assurer, en son absence, la gestion des immenses domaines familiaux. Le vieux sanglier concluait de manière étrangement sentimentale, par un long paragraphe où il priait son fils de lui pardonner ses duretés récentes, et l'enjoignait de considérer un tant soit peu sa femme.

François relut cette fin de lettre plusieurs fois, le cœur lourd. Il se disait qu'il fallait que sa piété filiale fût grande, pour avoir si bien résisté aux excès de vilenie des derniers mois.

Séparé de sa belle promise – Jeanne de Piennes – qu'on avait jetée au couvent, il avait été contraint d'aller supplier lui-même le pape d'annuler sa promesse solennelle. Évidemment la Curie, travaillée en sous-main par les Guises, n'avait rien facilité ; et le Saint-Père avait sans cesse remis sa décision, invoquant les prétextes les plus insensés. À la fin, le connétable avait exigé de son fils aîné qu'il mentît à sa bien-aimée, et lui fît part officiellement d'une annulation que le pape n'avait toujours pas décidée !

Enfin, le chef des Montmorency avait usé de toute son influence et convaincu le roi Henri de rendre l'édit le plus aberrant de son règne. Défense y était faite aux enfants de contracter mariage sans l'assentiment écrit de leurs parents. François ayant dépassé les vingt-six ans, on avait étendu jusqu'à trente la définition de l'enfance ! Et pour que la promesse fût réputée nulle, on conféra – chose rarissime – à cette norme un caractère rétroactif ! N'était-ce pas le plus beau cas de « loi opportune » ?

Les noces avaient eu lieu en mai 1557, à la fois grandioses et sinistres. Par une ironie dont les vieux courtisans goûtaient probablement le sel, la greffe Montmorency sur l'arbre des Capétiens s'était faite par une branche fautive, et sans la moindre onction d'amour – en tout cas du côté du marié... L'union n'avait même pas été consommée, et l'irruption de la guerre dans cette histoire sordide avait dispensé le jeune héritier de toute intimité conjugale. C'est à peine si, depuis le mariage, il avait passé une journée en tout avec sa jeune épouse !

Et pourtant, si quelqu'un avait osé, en ces temps de défaite, demander à François de Montmorency quel regard il portait sur le rôle de son père dans toute cette affaire, il aurait eu la surprise d'entendre l'héritier approuver les choix paternels, et leur savoir un gré sincère. Car tel était son sens du devoir et son intime conscience des intérêts de la lignée.

⁂

Qui conseilla Diane de France, et la convainquit de venir, sans y avoir été conviée, à la rencontre de son mari ? Était-ce un courrier de son beau-père, une allusion de sa belle-mère ou bien un ordre de sa marraine, la très habile Diane de Poitiers ? À moins que la fille naturelle du roi n'eût pris seule une telle résolution...

Toujours est-il que, par un soir flamboyant de ce curieux été, Diane fit – en coche, comme la reine[28] – une arrivée remarquée à l'hôtel de Montmorency. François, stupéfait, ne put s'empêcher de trouver pleine d'audace une entrée à ce point tapageuse, condamnant à la publicité un éventuel camouflet comme un possible triomphe... Il décida de lui donner sa chance, et sans se déplacer lui-même, fit savoir à la jeune épousée qu'elle recevrait, le soir même, la visite de son nouveau mari...

❧

Quand il pénétra, à pas comptés, dans la chambre de sa femme, François remarqua d'abord que les lumignons habituels avaient cédé la place à des bougies de cire au parfum miellé. De grands bouquets de lys, disposés çà et là, charmaient l'œil autant que le nez ; sur le lit, les étoffes – pentes, cantonnière et courtines – habituellement de tapisserie, étaient ce soir-là de drap blanc. Les rideaux, entre les colonnes, étaient fermés, certes, mais comme illuminés de l'intérieur.

— Diane, mon amie ?

L'époux – qui n'avait peut-être encore jamais appelé sa femme par son nom – se sentit bien gauche, bien démuni au moment d'aborder ce lit. Il aurait donné la moitié de sa vie pour que son occupante fût, non pas la fille bâtarde d'Henri II, mais sa belle, sa bien-aimée Jeanne !

— Diane ?

La jeune femme ne répondant pas, le jeune homme approcha. Il était déjà en chemise, la tête et les pieds nus, et se faisait un peu l'effet d'un condamné qu'on mène à l'échafaud.

— Mon amie ?

Quand il écarta le rideau, François resta bouche bée. Diane était presque allongée, en dépit de la coutume, la tête seulement relevée par deux coussins, les bras délicatement posés le long du corps, la jambe droite un peu repliée. Or, ignorant toute convention, toute bienséance même, elle était entièrement nue. « *Eva prima Pandora* », se dit François en songeant à la sublime tentatrice de M. Cousin[29].

C'était un nouveau risque, et de taille, pour Diane ; car son mari, offusqué de tant d'impudeur, aurait pu prendre la fuite. Se croyait-elle donc si belle, qu'elle vînt s'offrir ainsi, tout lascivement, comme une fille* ? Il sentit la colère le gagner.

Pourtant il ne partit pas. Même, il grimpa au bord du lit, et jouit du spectacle en esquissant un sourire en coin... D'une main encore hésitante, il accepta de caresser ce corps mis en valeur par la pause. Le galbe des cuisses de la jeune femme, l'ove de son petit ventre, l'arrondi charnu de ses seins, jusqu'aux volutes d'un cou très délicat, faisaient une harmonie de courbes vives, fondue dans la douceur d'ivoire de la peau fine, si fine. Les paumes de François, et ses longs doigts, ne suffirent bientôt plus à nourrir le contact, tantôt frottement, tantôt frôlement, avec ces attraits offerts.

---

* À l'époque, on sous-entend « de mauvaise vie ».

Mais pour qui se prenait-elle ?

Dénouant nerveusement son col et ses manches, il retira sa chemise sans trop de grâce, et avide de promener son corps ému sur celui, tout palpitant, de la belle, il vint la téter comme un enfant, lui lécher le nombril à la manière d'un chat, couvrir sa toison divine de mille petits baisers, affolés et légers comme des papillons.

Alors, comme animée par l'effet d'un philtre, elle se mit à onduler, à se cambrer, à frémir et haleter de toute la vigueur de ses vingt ans.

Pour qui se prenait-elle donc ?

Mais pour la jeunesse, enfin, pour la vie et pour la santé même ! François se dit qu'il ne l'aimait pas, ne l'aimerait jamais. Seulement, le moyen de résister à cette sorte de fougue ! Diane se donnait entière, sensuellement, depuis la plante des pieds jusqu'aux boucles des cheveux.

Il lui concéda en retour le plus langoureux des grands baisers, tandis qu'il faisait d'elle sa femme, enfin, et fusionnait chair en chair dans un débordement des sens à les mener, ensemble, tout près d'une forme de mort... Elle partagea son extase, la prolongea, s'offrit à son tour une friande visite du corps de son mari.

S'il avait seulement pu bouger un peu...

— François ? demanda-t-elle.

Il s'était assoupi, un bon sourire au coin des lèvres.

— Mon ami ?

Tout à ses rêves, il ne répondit pas. Alors la fille du roi put à son tour arborer un sourire étincelant – de ceux qu'inspire la victoire, quand elle est sans réserve.

Ourscamp et Noyon.

Il y avait, chez Françoise de Coisay, plusieurs blessures à vif qui la rendaient vulnérable à certains mots, à certains lieux. Ainsi, prononcer le nom de Noyon suffisait à la plonger dans les affres ; quant à s'en approcher, c'était l'exposer à coup sûr aux pires réminiscences.

La dernière fois qu'elle avait pris la route d'Ourscamp, c'était en compagnie de Vincent, afin d'accompagner Simon jusqu'aux abords de son nouveau séjour… Cette fois elle avait cheminé sous la protection de Godefroy, et n'avait d'autre ambition que de tirer son oncle de son monastère, pour l'enrôler dans une véritable entreprise de vengeance.

Quelques jours plus tôt, l'on avait appris qu'à Meaux, les frères Gilles et Vincent Caboche venaient d'être arrêtés et convaincus « d'injures atroces, libelles diffamatoires, menaces, blasphèmes, exactions » – autant dire qu'on les avait dénoncés en tant que Réformés. Le délateur pouvait-il être Vincent ? Rien ne permettait de l'affirmer, mais rien n'aurait pu convaincre Françoise que ce n'était pas lui. Depuis qu'elle connaissait le mal qu'il avait fait à son père, l'envoyant sciemment au bûcher pour éliminer un obstacle à ses vues, elle le savait capable des plus ignobles forfaits.

— Ce monstre est un danger pour nous tous, avait-elle déclaré. Nous devons à présent le supprimer.

À la place de Godefroy, tout compagnon doué de raison aurait détrompé Françoise, et lui aurait montré sans peine combien ses projets criminels s'opposaient au fondement même de la pensée chrétienne. Seulement le soldat errant privilégiait une conception active et combative de la lutte religieuse, et l'obsession de la jeune femme ne faisait que recouper ses propres conceptions. Aussi n'avait-il rien fait pour la dissuader de punir Caboche.

Parvenus à la bifurcation d'Ourscamp, ils mirent un moment pied à terre. Les femmes n'étant pas admises à l'abbaye, La Renaudie continua seul, laissant sa compagne au pied d'un très vieux chêne ; c'était d'autant moins prudent qu'au loin, se percevaient les roulements du tonnerre.

Quand Godefroy revint, l'orage s'était rapproché ; des éclairs striaient l'horizon, et la pluie s'était mise à tomber dru.

— Ton oncle n'était pas dans l'aile des convers, annonça le Périgourdin. On me dit qu'il a mené des chevaux au marché de Noyon.

— Ça, je ne puis ! se raidit Françoise. Pas question de remettre les pieds dans cette ville maudite ! Attendons-le ici !

— Je regrette, mais j'ai bien l'intention de me sécher, et de me nourrir, rétorqua Godefroy, avec cet accent rocailleux qui lui revenait dès qu'il était nerveux.

— La Forest ! hurla soudain Françoise. La Forest, non !

Mais il avait repris sa route, affectant de ne plus s'occuper d'elle. Alors, la rage au ventre, elle se remit en selle et le suivit à distance.

❈

Quand elle pénétra dans cette ville où son père était mort – cette ville qui l'avait tué, en vérité, ou du moins laissé tuer – des émotions violentes submergèrent la jeune femme. Elle revit avec horreur ce marché couvert, dont elle avait vu les poutres chargées de badauds sanguinaires ; et puis cette place où se dressait toujours un immonde échafaud avec sa potence, bien que dépourvu, en temps normal, de corde et de bûcher. C'était la fin du marché, et la foule encore assez dense en rappelait forcément un autre...

— Godefroy, je t'en supplie !

Elle tomba du cheval dans ses bras, et il la rassura comme on cajolerait une petite fille égratignée.

Tandis qu'il s'occupait des montures, Françoise, trempée jusqu'aux os, entra dans la taverne où Gautier, jadis, s'était laissé piéger. Simon s'y trouvait attablé dans un coin, seul au sein de la cohue, devant une miche de bon pain, un morceau de jambon et un pichet de vin. Sa barbe était immense, et son habit de convers, un peu crasseux...

— Mon Dieu, fit-il en se signant, ça alors ! Ne me dites pas que c'est ma Françoise !

— Mon oncle !

La jeune femme embrassa le bonhomme avec effusion. Il eut un mouvement de recul en la découvrant si mouillée, et insista pour qu'elle montât dans une chambre, le temps que l'on sécherait ses vêtements. Elle se laissa faire sans trop protester, répondit aux questions anodines de son oncle, jusqu'à celles qui ne pouvaient manquer de survenir.

— Tu es toute seule ? Et ton mari ? Comment va-t-il ?

Alors, plus facilement qu'elle ne l'aurait cru, Françoise se mit à tout raconter à son oncle : sa grossesse et la fausse couche, les aveux de Vincent et sa fuite, son propre départ pour Paris et jusqu'à sa rencontre avec la duchesse d'Étampes... Elle ne dit pas un mot de La Forest. Simon écouta tout avec attention, mais sans s'impliquer dans le récit ; à sa grande surprise, Françoise le découvrit presque insensible aux événements horribles dont elle lui faisait part. La seule chose, finalement, qui parut le toucher, fut la relation que sa nièce lui fit des propos de l'ancienne favorite royale.

Dès qu'elle eut achevé, il lui prit les mains.

— Vois-tu, mon petit, dit-il, tout cela est terrible, et pourtant rien de ce que tu m'as dit ne me surprend vraiment. C'est l'écume des choses – une écume sale et pénible, sans doute – mais de l'écume. Rien d'autre...

— Je veux me venger de Vincent, dit-elle. Il vient de dénoncer, cette fois, ses propres frères ! Des gens remarquables !

— Allons, Françoise, allons… Est-ce la fille de mon frère que j'entends ainsi crier vengeance ? Est-ce la jeune personne si vive, si gaie, que j'ai connue jadis et tant aimée ?

— La vie m'a trop meurtrie, mon oncle.

— Abandonne cette vie d'écume et plonge, crois-moi, dans une vie plus profonde.

Avant que ne s'installe entre eux un dialogue de sourds, elle s'enveloppa dans une couverture de renard, et avertit son oncle qu'un ami les attendait en bas.

— Un ami ? Quel ami ?

— Je suis venue avec La Forest, révéla Françoise, prudente.

— La Forest ? Celui par qui sont venus tous nos malheurs ?

— Il n'y était pour rien…

— Avant l'irruption de ce personnage à Coisay, tout allait pour le mieux, mon enfant. C'est lui qui a dévoyé ton père, lui qui nous a fait remarquer, lui qui n'a rien fait quand nous en aurions eu tant besoin.

Françoise baissa les yeux. Au fond, elle savait que son oncle avait raison ; seulement, elle aimait Godefroy et ne pouvait s'en défendre… Elle commençait à se demander comment sortir dignement de ce mauvais pas quand on frappa à la porte de la chambre. La voix de La Forest retentit.

— Françoise ? Tu es là ? Tes vêtements sont secs.

L'oncle et la nièce échangèrent un regard.

— Je ne veux pas le revoir ! déclara Simon à voix basse.

— Mais…

— Dis-lui de redescendre ; je ne veux surtout pas le revoir.

— Mon oncle…

— Non !

Françoise soupira.

— Godefroy, dit-elle un peu haut. Pose les vêtements dans le couloir, et attends-moi en bas, s'il te plaît. Je te rejoins dans un moment.

On le sentit qui hésitait derrière la porte, puis son pas s'éloigna, et il dévala l'escalier.

— J'avais cru, hasarda la nièce, que vous l'aviez bien aimé…

— Justement, la coupa Simon. Je l'ai déjà bien trop aimé.

Elle ouvrit la porte, reprit ses vêtements qu'elle remit tranquillement. Ils échangèrent encore quelques mots, se serrèrent fort l'un contre l'autre et Françoise redescendit.

Quand elle dit à Godefroy qu'on ne souhaitait plus lui parler, son sang ne fit qu'un tour ; il remonta l'escalier quatre à quatre, fondit sur la chambre : elle était vide. Le moine barbu s'en était allé par l'échelle de derrière.

Paris, palais de la Cité.

Circulez, bonnes gens, ne restez pas ici !

Les archers de la garde avaient beau dire, beau faire, les greffiers, les clercs, la basoche – le petit peuple du Parlement – se pressaient dans la galerie que devait traverser le roi au sortir de la messe. La curiosité motivait la plupart d'entre eux ; d'autres étaient là dans l'espoir de remettre un placet, ou de se faire bénir des cardinaux de la suite ; quant au dernier, un homme encore jeune, noir d'habits et crépu, il attendait le roi, tout simplement, pour le tuer.

Vincent Caboche n'était pas venu d'une seule traite à cette extrémité. Mais plus les mois passaient, et plus il peinait à supporter sa désolante existence. Ainsi avait-il, lui, l'enfant de la Réforme, espionné pour la sinistre Diane de Poitiers – autant dire l'ennemie jurée de Calvin. Il avait trahi la confiance des frères de Châtillon, et surtout celle de l'amiral. Il s'était fait l'assassin, par délation, d'un très brave gentilhomme, pour mieux tromper sa fille par la suite – et finalement l'abandonner. Certes, il n'était pour rien dans l'arrestation de ses propres frères, à Meaux ; mais il devinait bien que Françoise l'en soupçonnait et finirait par lui en demander justice.

Autant dire qu'à force de louvoyer, il était devenu le plus lamentable des humains : à la fois cible de son camp et jouet du camp d'en face !

Seulement, depuis quelque temps, une idée, comme un beau rayon, était venue illuminer sa nuit. C'est l'exécution de ses frères, et plus généralement, la mort promise à tous les hérétiques[30], qui lui avaient ouvert les yeux.

Son idée présentait au moins le mérite de la clarté : puisque l'ennemi de la Réforme, en dernier ressort, était le roi lui-même, il allait donner la mort à ce tyran sanguinaire, et obtenir d'un seul et même coup quatre résultats inespérés : venger les siens, desserrer l'étau, regagner l'estime de Françoise et trouver la mort à coup sûr ! Voilà pourquoi, en ce matin suffocant de septembre, il attendait la fin de la messe royale, dite pour une fois en la Sainte-Chapelle.

— Circulez, monsieur, passez votre chemin ! lui intima, l'un des archers, fatigué de se répéter.

— Je suis secrétaire de l'amiral de France, précisa-t-il d'un ton sans réplique.

L'autre rectifia la position et n'insista plus.

À dix heures, les portes du passage entre la chapelle haute et les galeries furent ouvertes à grand bruit, tandis que retentissaient les cloches et que les pages, les laquais, les porteurs s'activaient en tous sens – signe imparable du passage imminent d'un cortège royal. À son propre étonnement, Vincent comprit que les choses se présenteraient mieux encore que prévu. Ainsi les archers, impressionnés peut-être par son titre de « secrétaire de l'amiral de France », l'avaient-ils exclu d'un petit groupe de curieux, soigneusement repoussé de côté. Plus étonnant encore : l'un des gardes, courtoisement, le laissa passer de l'autre côté du cordon. Plus rien ne viendrait donc s'interposer entre sa victime et lui.

C'est du moins ce qu'il avait cru. En vérité, plusieurs hallebardiers vinrent se poster, au dernier moment, de part et d'autre du passage… Le roi parut alors, suivi d'un petit nombre de dignitaires ; il s'entretenait gravement avec le cardinal de Guise, un des frères cadets du cardinal de Lorraine.

Le voyant s'avancer tout près, Caboche n'hésita plus. Il tira son épée et se précipita sur le monarque en criant :

— Ha, polletion*, il faut que je te tue !

Le coup porta bien près. Seulement, Henri, chevalier aguerri, de surcroît champion de paume, ne manquait pas de réaction : il sut esquiver à temps en reculant d'un bond. Deux gardes, avec leur hallebarde, parèrent le coup par ailleurs, et désarmèrent l'assassin ; de sorte que le roi ne fut pas touché du tout.

Vincent, mortifié au-delà des mots par cet échec ultime, tenta plus ou moins de se fondre dans les badauds, mais les archers s'assurèrent

---

* Ordure – ou « pollution » dans le vocabulaire du XVIe siècle.

sans peine de sa personne. Un capitaine défourailla, prêt à l'abattre sur-le-champ.

— Surtout pas, malheureux ! défendit le roi. Que l'on s'assure bien de cet homme, et qu'on veille à ce que rien ne lui arrive !

Henri, bouleversé par cette lèse-majesté, entendait qu'on interrogeât le forcené. Au besoin, il n'hésiterait pas à le faire lui-même.

À son dîner*, le roi ne toucha presque à rien, ce qui était fort rare. Il paraissait plus que préoccupé, et ses traits, en quelques heures, s'étaient creusés sur son visage oblong, déjà si triste d'ordinaire.

Au sortir de table, il était passé, comme de coutume, chez la duchesse de Valentinois, mais même sa chère et vieille amie n'avait su le dérider.

— Voilà bien de la bile pour un fou, se moquait-elle.

— Cet homme n'est peut-être pas aussi fou qu'on le prétend, ruminait le roi. Et s'il s'avère qu'il agissait sur ordre, alors il nous faut tout apprendre sur les commanditaires.

À la vérité, ceux qui connaissaient la Cour dans ses rouages les plus intimes savaient que, depuis deux ou trois ans déjà, l'étoile de Diane avait pâli. Certes, Henri continuait d'honorer les différents logis de sa vieille maîtresse – elle aurait bientôt soixante ans ; bien sûr, il demeurait très poli envers elle, et bien assidu ; mais il

* Notre déjeuner.

y avait longtemps qu'on ne les voyait plus minauder ensemble. Et certains, mieux renseignés peut-être, ou plus observateurs que d'autres, avaient compris que pour la bagatelle, le roi s'adressait de plus en plus volontiers à sa femme – quand il ne volait pas, à la dérobée, vers de secrètes amours d'un soir...

Diane de Poitiers souffrait de cette lente déréliction, mais elle était trop intelligente pour vouloir s'opposer au temps qui passe et, refusant de lutter contre l'inéluctable, consacrait plutôt ses talents à s'y adapter.

— Je voudrais au moins, dit le roi, connaître les premières conclusions...

— Faites quérir Bertrandi ! proposa Diane.

Mais à défaut du garde des Sceaux, c'est un conseiller de la chancellerie qui finit par se présenter.

— Eh bien, demanda le roi. A-t-il parlé ?

— Non, sire. Cet outrage est l'acte d'un fou.

— Ce n'est pas mon sentiment, coupa Henri, fâché. Qu'a-t-il dit, au juste ?

— Rien d'intelligible, ou qui vaille seulement d'être rapporté à Votre Majesté.

— « Rien d'intelligible » ? Seriez-vous donc tous incapables de l'interroger ?

— Sire, nous avons...

— Il suffit ! trancha le roi.

Le monarque avait tapé du poing sur une table, et se montrait d'une impatience et d'une irritation tout à fait inhabituelles.

— Monsieur, puisque, apparemment, personne, dites-vous, n'a rien pu tirer de ce prétendu fou, je vous ordonne de me l'amener.

— De l'amener... À Votre Majesté ?

— Je parle français, monsieur. Si vous ne comprenez pas ce Caboche, au moins faites-moi la grâce d'entendre mes ordres !

— C'est-à-dire...

— Allons, faites, monsieur. Cela ne saurait souffrir aucun délai.

Le conseiller amorça une révérence et, la mine fort soucieuse, paraissait sur le point de sortir quand, le regard vague et la voix tremblante, il redemanda la parole.

— Qu'est-ce encore ?

Jamais on n'avait vu Henri aussi près de céder à la colère.

— Il se trouve, sire, qu'accéder à vos demandes risque d'être... assez difficile...

Diane de Poitiers se leva, d'un air entendu ; elle avait déjà compris... Le roi, lui, ne vit rien venir.

— Et pourquoi cela, je vous prie ?

— Eh bien... Les magistrats du Parlement, soucieux d'apporter à ce crime ignoble la réponse ferme et prompte qu'il leur a paru exiger, ont déjà condamné l'assassin.

— Je fais grâce, jusqu'à plus ample informé.

— Mais, sire...

— Qu'on m'amène cet homme ! Qu'on me l'amène, est-ce assez clair ?

Le roi perdant son sang-froid, la duchesse crut bon d'intervenir.

— Sire, si je comprends ce que ce pauvre homme essaie de vous dire, la sentence de mort a déjà été exécutée.

Henri demeura muet un moment, comme hébété.

— Ne me dites pas... Monsieur, ce Caboche a-t-il été tué ?

— En effet, sire. On l'a pendu. Aux Halles. Ce midi même.

— Ah, les scélérats, souffla le roi, soudain décomposé. Ils ont osé ! Ils ont osé me faire cela : escamoter le meurtrier dans l'heure, pour l'empêcher de dire ce qu'il savait peut-être...

La duchesse de Valentinois toisa l'homme de la chancellerie.

— Les pires assassins, dans l'affaire, sont ces messieurs du Parlement. Il faudra bien, un jour, faire tomber le masque à ce nid d'hérétiques !

Le roi, livide et interdit, secouait lentement la tête.

— Ils ont osé, répétait-il tout bas.

Diane fit un geste au conseiller, qui fut trop heureux de décamper.

— Oui, conclut-elle, ils ont osé. Ils ont osé, parce que vous, vous n'osez pas. Allez au Parlement, assistez à leurs séances ! Forcez-les à se dévoiler en votre présence. Et puis saisissez les meneurs, punissez-les, terrorisez les autres ! Un parlement efficace est un parlement qui a peur.

Chapitre VII

Le roi chevalier

Printemps et Été 1559

Paris, hôtel royal des Tournelles.

Debout dans l'embrasure d'une fenêtre, le roi Henri observait, au-dehors, le travail de soldats qui, en dépit d'une pluie battante, s'activaient à dépaver la rue Saint-Antoine – la plus large de Paris. Il s'agissait d'y installer des lices de tournoi.

— Je tiens à l'éclat de ces fêtes, dit-il à l'intention des dignitaires réunis en conseil restreint. Il y va du succès de la paix.

Quelques semaines plus tôt, en effet, le traité du Cateau-Cambrésis avait mis fin aux hostilités. Chose étrange : les tractations préalables avaient été conduites, côté français, par des prisonniers mis en liberté temporaire, sur ordre du roi d'Espagne : les maréchaux de Montmorency et de Saint-André ! Autant dire que ces deux-là n'avaient pas négocié les mains libres, et que le souci de leur propre sort, joint à la crainte de voir les Guises mettre la Cour en coupe réglée, les avait incités à accepter des conditions très dures, et même scandaleuses.

En vérité, les pertes territoriales, pour la France, étaient si lourdes – en Italie du moins – que l'on s'insurgeait partout contre une paix acquise à n'importe quel prix ; et le duc de Guise orchestrait lui-même ce concert de plaintes. Ainsi le roi devait-il payer de sa personne pour faire accepter l'inacceptable et ce ne seraient pas trop de grandes réjouissances pour dorer cette amère pilule.

— Où en sont les envoyés du roi d'Espagne ? demanda la duchesse de Valentinois.

— Ils seront ici dans dix jours, tout au plus, répondit le duc de Lorraine.

Pour entériner cette paix saumâtre, deux grands mariages avaient été conclus : celui de la fille aînée du roi, Élisabeth, avec Philippe II en personne ; et celui de sa sœur, Marguerite de Valois, avec le duc de Savoie. Le roi Philippe, jugeant indigne de son importance un déplacement jusqu'à Paris, avait confié au duc d'Albe le soin de le représenter dans les cérémonies nuptiales.

— L'arrivée des Espagnols, reprit Diane, devrait nous conduire à plus de rigueur sur le chapitre de la religion.

— Certes, certes, approuva le cardinal Bertrandi, garde des Sceaux.

C'était un homme aussi doucet de visage qu'il était rude au fond. Il agita son bonnet carré de velours noir.

— Et d'autant plus, ajouta-t-il, que les Réformés doivent très bientôt se réunir ici même, en grand secret...

— Et que le Parlement de Paris les porte à bout de bras, siffla le cardinal de Lorraine.

Cet homme raffiné, volontiers insinuant par nature, s'était beaucoup endurci au feu des événements. Il arborait un visage plus fermé chaque jour, et plus intransigeant. En privé comme au Conseil, il ne parlait plus que d'extirper l'hérésie et d'arracher les racines du mal. Arrêter, torturer, exécuter était devenu chez lui des obsessions ; et la terreur du supplice lui tenait lieu de principe politique.

— Le moment est venu de frapper un grand coup, martela-t-il. La Bête relève la tête, il convient de lui trancher le col.

Le roi ne bronchait pas ; il glissa sur ce chapitre pour revenir à celui, plus souriant, des fêtes en préparation pour les mariages.

— Je souhaite que des hérauts s'en aillent crier partout, à son de trompe, que les tenants du tournoi combattront en champ clos contre tout chevalier venant. N'est-ce pas le moment de jauger un peu notre jeunesse de France ?

Les dignitaires demeurèrent cois. Cette passion du roi pour les rites chevaleresques leur semblait d'un autre âge – et singulièrement déplacée, au regard des difficultés financières et des troubles religieux du moment.

Henri sentit leur réprobation muette ; alors il quitta ses carreaux de verre battus par la pluie, et vint se rasseoir à la table du Conseil. Les autres en profitèrent pour l'imiter. Le roi soupira lourdement.

— Mon cousin, dit-il en se tournant vers Charles de Lorraine, vous semblez plein d'idées pour combattre l'hérésie... À moins que ce ne soient ces messieurs du Parlement que vous ne vouliez abattre !

Le cardinal caressa les deux pointes de sa barbe frisottée Il avait inspiré la déclaration royale du 14 mars, confiant à l'Inquisition, en fait de police religieuse, des pouvoirs réservés, jusque-là, aux cours de justice. Le Parlement de Paris l'avait pris en mauvaise part ; et cela faisait des semaines qu'il en débattait lors de ses fameuses mercuriales*. Au-delà d'un conflit de compétence, il s'agissait, pour les magistrats parisiens, de fixer des limites à la rage des Guises contre la Réforme. Un nombre croissant de conseillers, las d'envoyer au bûcher de braves gens peu suspects d'hérésie, profitait en effet de ces réunions pour prêcher la modération, et suppliait qu'on se montrât tout à la fois moins sévère et plus sage envers les « religionnaires ».

— Sire, attaqua le cardinal, j'ai pris sur moi de convoquer le Premier président du Parlement, le très avisé Gilles Le Maistre. Il patiente en ce moment dans l'antichambre. Agréerait-il à Votre Majesté que nous l'entendions ?

Henri se contenta d'opiner du chef. Sur un signe du cardinal, l'huissier ouvrit grand la porte au premier président, qui s'avança dans la pièce en pratiquant les révérences d'usage. Diane le pria de prendre place sur un des sièges demeurés libres.

— Monsieur, joua le cardinal en feignant d'improviser une question répétée de longue date, pourriez-vous renseigner Sa Majesté sur la teneur de ces réunions qui, depuis plusieurs semaines maintenant, agitent les magistrats de vos cours ?

— Monseigneur…

* Séances plénières hebdomadaires qui se tenaient le mercredi – d'où leur nom.

— C'est au roi que vous devez parler.

— Pardon... Sire, depuis la fin du mois d'avril, nos mercuriales sont entièrement occupées par la question de la répression de l'hérésie. Et la vérité m'oblige à confesser à Votre Majesté que plus le temps passe, et plus la voie de la modération m'y paraît gagner du terrain.

— La voie de la modération...

— Oui, sire. En vérité, plusieurs de nos magistrats se révèlent ouvertement acquis à la cause hérétique, et malgré tous mes efforts et ceux de quelques autres, ils utilisent le Parlement comme une tribune pour propager leur science infecte.

Le roi frappa violemment du poing sur la table. Le cardinal et la duchesse échangèrent un regard entendu.

— Voyez, sire, jusqu'où s'est portée la sédition !

Car depuis longtemps les Guises, soucieux de gagner Henri II à leurs vues, avaient eu l'habileté d'associer, dans son esprit, Réforme et désordre, évangélisme et désobéissance.

— Et que pouvons-nous faire ?

La question du roi s'adressait au Premier président qui, prudemment, interrogea le cardinal du regard. Charles de Lorraine se pencha vers son maître et adopta, pour le convaincre, son ton le plus mielleux.

— Rien n'interdit à Votre Majesté de se présenter, sans prévenir, aux portes du Parlement, et de vouloir assister Elle-même à l'une de ces « mercuriales »... Si les propos qu'Elle y entend heurtent la religion ou l'État, alors il faudra prendre les mesures qui s'imposent...

— Quand cela ne servirait qu'à rassurer les Espagnols, appuya Diane, vous devez suivre le conseil du cardinal.

Le roi ne quittait pas des yeux le Premier président.

— Est-il vrai, monsieur, que vos magistrats sont, pour certains, de véritables ennemis de la religion ?

— Sire, il n'y a pas moyen de leur donner un autre nom.

Henri hocha la tête en silence. Il paraissait plus embarrassé que jamais.

Paris, couvent des Grands Augustins.

Ce 10 juin, le Palais de la Cité étant occupé par les préparatifs des mariages, la mercuriale se tint tout près de là, chez les Grands Augustins de la rive gauche. Tandis que les orateurs, un peu déconcertés par ce changement, insistaient sur les vertus de la clémence en fait de religion, le Premier président Le Maistre, plus irrité que jamais de leur impertinence, rongeait son frein en contemplant le trône vide qui, lors de toute séance plénière, se devait d'orner la grand-salle.

Le très lettré Claude Viole, qui pour l'heure avait la parole, prêchait la tolérance, à son habitude.

— Seul un concile œcuménique, disait-il, ouvert et dépourvu de tout dogmatisme, permettrait de rétablir la paix dans toutes ces âmes chrétiennes…

Il fut interrompu par le tumulte de portes qui s'ouvraient, et par l'irruption de la garde royale. Les magistrats, surpris, se levèrent à l'entrée du connétable de Montmorency, de plusieurs prélats en camail, puis des grands officiers de la Cour précédant le roi en personne.

La face du Premier président s'illumina.

— Sire, lança-t-il d'une voix vibrante d'émotion, que Votre Majesté soit la bienvenue en cette mercuriale qui devient donc lit de justice*.

Le monarque, dont le visage était plus fermé peut-être que de coutume, salua brièvement et vint s'asseoir sur le trône installé dans l'angle. À sa droite, raide comme un piquet, le garde des Sceaux annonça qu'il s'agissait d'une visite informelle et que le roi n'entendait en rien troubler le déroulement des débats.

— Monsieur le procureur général, précisa-t-il, il n'est pas d'usage que les parlements débattent de religion sans y avoir été conviés par le roi. Mais puisque déjà vous avez passé outre, l'intention de Sa Majesté est que la délibération suive son cours. Que ces Messieurs continuent donc de s'entretenir librement, et sans se réfréner en rien !

Saisis d'une telle prière, où certains crurent entendre des garanties, les magistrats ne furent que trop heureux de pouvoir s'adresser directement au roi. Le calme revint donc et les interventions reprirent normalement, quoique chargées d'une intensité nouvelle. Après Viole, ce fut au jeune et très éloquent Louis du Faur de dénoncer certains abus régnant dans l'Église.

Pendant qu'il parlait, Henri II, apparemment pénétré d'une attention neutre, donnait le sentiment de boire ses paroles. C'est à peine s'il

* C'est une séance de parlement tenue en présence du roi.

échangeait, de temps à autre, un regard furtif avec le cardinal de Lorraine.

— Sire, tonnait Du Faur, à ceux qui accuseraient ces pauvres gens de semer le trouble en votre royaume, je répondrai par ces mots du prophète Élie au roi Achab : « Je ne trouble point Israël ; c'est toi, au contraire, et la maison de ton père, qui le faites, puisque vous avez abandonné les commandements de l'Éternel ! »

Henri reçut cette diatribe comme une attaque ; il se raidit, laissant voir que le coup avait porté. Vint le tour du conseiller Anne du Bourg, féru de théologie et défenseur attitré de la Réforme. Ce petit homme sans grande allure, humble et droit néanmoins, s'avança vers le milieu de la salle en faisant, selon l'usage, trois révérences en direction du trône. Puis il leva les yeux au ciel et parla d'une voix étonnamment limpide.

— Je rends grâce à Dieu du privilège insigne qu'il m'accorde, de prendre la parole devant un si grand roi, et pour le conseiller en une matière de telle conséquence. Aussi formé-je le vœu qu'à l'exemple du bon roi Josias, notre puissant souverain puisse enfin donner ordre à ce que le pur et vrai service de Dieu soit rétabli dans son royaume.

Cette entrée en matière, placée d'emblée sous l'invocation de l'Ancien Testament, suscita l'irritation du cardinal de Lorraine et du garde des Sceaux, pour ne rien dire du Premier président. Henri, lui, ne bronchait pas. Le conseiller du Bourg, beaucoup plus hardi que son maintien modeste n'aurait pu le laisser présager, se lança dans une défense ouverte des « nouveaux évangélistes » – autant dire les luthériens... Un grondement se fit parmi les prélats.

— Si donc ces Chrétiens-là, disait Du Bourg, se révèlent opposés à certaines choses ordonnées par les papes et les derniers conciles, comment pourrions-nous feindre l'étonnement ? Ces choses-là ne sont-elles pas, précisément, contraires aux Écritures ?

Cette fois, les cardinaux protestèrent à haute voix. Le roi se tourna, d'un air impénétrable, vers Charles de Lorraine. Le Maistre ne pouvait qu'intervenir.

— Je mets le conseiller en demeure de se borner à l'objet de la présente mercuriale ! Nos réunions n'ont nulle compétence à se mêler de théologie !

Seulement le roi, contre toute attente, ordonna au Premier président de laisser parler le conseiller. Anne du Bourg s'inclina en signe de gratitude, puis il reprit son développement. Il se permit de déplorer qu'on livrât aux tourments et à la mort des sujets qui servaient le roi selon les lois du royaume, pendant que la Cour elle-même donnait tant d'exemples de débauche, d'adultère, de concussion et d'homicide.

Au mot « adultère », les traits du roi s'étaient encore altérés.

— Peut-on leur imputer le crime de lèse-majesté, à eux qui ne font mention du prince que dans leurs prières ? Peut-on dire qu'ils violent les lois de l'État ? Quelque peine qu'on se soit donnée jusqu'ici, on n'a pu imputer à un seul d'entre eux la moindre intention séditieuse !

Le connétable se tourna délibérément vers le roi, et l'interrogea du regard. Mais Henri ne détachait pas le sien des lèvres de l'orateur.

— Sire, poursuivait Du Bourg – comme emporté par sa conviction – puisque vos édits les plus rigoureux n'ont eu raison des nouvelles doctrines, ne serait-il pas raisonnable d'explorer des voies plus pacifiques ?

Le magistrat n'était pas au bout de sa démonstration.

— Pour avoir lu les raisons, bonnes et mauvaises, alléguées de part et d'autre, pour les avoir toutes comparées aux Écritures, j'ai trouvé les arguments évangélistes plus conformes à leur enseignement que ceux du pape, si souvent éloignés de la vraie règle chrétienne !

Ces derniers mots soulevèrent un tollé dans l'assistance, et le roi lui-même serra les mâchoires. Du Bourg n'était plus à cela près. Il termina en exhortant le monarque à éviter toute alliance avec l'Antéchrist. N'était-il pas à craindre, si les rois, pour complaire à Rome, continuaient d'envoyer au feu leurs sujets, que ce sang innocent ne finisse par retomber sur leur trône ?

— Toutefois, concéda enfin le magistrat, il est temps encore de changer de voie, et Jésus-Christ a les bras grands ouverts pour pardonner à ceux même qui l'ont le plus offensé.

Nouveau tollé. Le petit homme fit ses ultimes révérences, puis il alla se rasseoir. Le roi s'efforçait de demeurer impassible. Il demanda calmement l'avis de plusieurs présidents de chambre, puis celui du Premier président Le Maistre. Celui-ci, le souffle coupé par la colère, laissa libre cours à son indignation ; il conclut par un conseil outré, terrible.

— Enfin je ne saurais mieux faire, dit-il, que recommander à Votre Majesté la fermeté la plus entière, à l'exemple du roi Philippe-Auguste qui, ne serait-ce que pour l'exemple, fit brûler six cents Albigeois en un seul jour !

Le roi laissa ces fortes paroles résonner dans la grand-salle ; puis il se leva et, d'un ton qu'il voulut sobre, ordonna au connétable de Montmorency de procéder à l'arrestation de Louis du Faur et d'Anne du Bourg.

Le vieux sanglier se leva donc, descendit lourdement jusqu'au parquet, et dans un silence soudain pesant, s'avança vers les deux conseillers.

— Vous avez entendu l'ordre du roi, messieurs. Suivez-moi donc !

Le jeune Du Faur, interloqué, se tourna vers Du Bourg. Celui-ci lui mit la main sur l'épaule et regarda le connétable bien en face.

— Si ferai-je, monsieur.

On s'écarta pour les laisser passer. Montmorency marcha droit au capitaine des gardes, le jeune Gabriel de Lorges, comte de Montgomery.

— Assurez-vous bien de ces messieurs, dit-il.

Montgomery répondit d'un simple signe de tête. Déjà les gardes entouraient les prisonniers... On n'entendait plus, dans la salle, que le vague commentaire du Premier président à l'un de ses assesseurs. Passant à hauteur du roi, le conseiller du Bourg croisa son regard un instant. Alors, levant les yeux au ciel, il lança une prière.

— Seigneur, c'est Ta querelle. Je m'en remets à Toi seul !

Ce fut peut-être le mot de trop, du moins pour le roi Henri. Il descendit vivement de son piédestal et se mit à crier en direction du petit homme.

— Avant dix jours, m'entendez-vous, avant dix jours je vous verrai, de mes propres yeux, brûler tout vif !

Mais Du Bourg ne se retourna pas ; il affectait de réconforter son jeune confrère.

Dans la soirée, les conseillers Fumée, de Foix et de La Porte les rejoindraient à la Bastille.

Paris, rue Saint-Antoine.

Vendredi 30 juin. En ce troisième jour de tournoi, une chaleur moite avait envahi la lice des Tournelles. Le public élégant suffoquait de poussière, à la recherche du moindre souffle, dans des tribunes chargées de tentures et d'écoinçons aux armes de France, d'Espagne et de Savoie. Quant aux gens du peuple, ils avaient depuis longtemps déserté la place.

Depuis deux heures de relevée, on avait vu, tour à tour, les ducs de Nemours, de Ferrare et de Guise, affronter une série d'assaillants plus ou moins novices, plus ou moins hardis.

— Tenant : Sa Majesté le roi ! annonça la voix fatiguée d'un héraut d'armes.

La reine Catherine sentit son cœur se serrer. Depuis le début des joutes, elle vivait dans la hantise de voir son mari se blesser. L'horoscope de Gauric n'avait-il pas mis le roi en garde contre les duels, surtout ceux de sa quarantième année ? Depuis des semaines, voyants et astrologue n'avaient cessé de confirmer le présage ; tous déconseillaient au roi d'entrer en lice.

« Il va lui arriver malheur, se lamentait Catherine. Je le sens, je le sais ! »

Cependant les deux premiers jours de tournoi s'étaient déroulés sans encombre ; et le troisième, qui tirait à sa fin, promettait de la délivrer de ses angoisses.

— Je ne vis plus, confia-t-elle à sa fille Élisabeth, devenue reine d'Espagne par procuration, quelques jours plus tôt.

Celle-ci prit gentiment la main de sa mère dans les siennes, et tenta de la rassurer.

— Que craindre, madame, sinon l'insolation ?

Mais Catherine n'était pas d'humeur à plaisanter.

— J'ai fait un songe, dit-elle, la nuit dernière. Un songe horrible...

Elle n'en dit pas davantage, car les trompes et les hourras saluaient l'entrée du roi, déjà en armes. Henri passa sous l'arc de triomphe, dressé du côté de la Bastille. Il arborait à son casque un cimier de plumes blanches et noires, toujours en l'honneur de Diane – comme il l'avait fait pour la première fois, ici même, vingt-huit années plus tôt*...

Catherine se pencha un instant pour voir la duchesse, et découvrit avec lassitude son beau visage hiératique et noble. Impavide.

— Celle-ci doit avoir du marbre à la place du cœur, soupira-t-elle.

La reine d'Écosse, qui avait entendu, lui adressa un drôle de sourire.

---

* Voir *La régente noire*.

On annonçait l'entrée en lice, face au roi, du duc de Savoie en personne, empanaché de pourpre. Il montait un cheval magnifique, aussi beau que celui qu'il venait d'offrir au roi lui-même et qui – mauvais augure, décidément – s'appelait *Le Malheureux*.

Tandis qu'on faisait crocheter les heaumes et qu'on armait les jouteurs de lances neuves, la reine, de plus en plus oppressée, fit signe d'approcher au duc de Nemours, de retour dans la tribune.

Sur le sable, les chevaliers se faisaient face.

— Serrez bien les genoux, lança le roi à son futur gendre ; car sans égard à nos liens, je vais vous ébranler d'importance !

Le duc émit un rire forcé ; puis les deux chevaux s'élancèrent, les lances s'inclinèrent, les cavaliers se heurtèrent violemment. Un bruit mat, des éclats de bois dans l'air surchauffé... Savoie vacilla sur sa selle, mais il leva le bras droit pour rassurer les juges. Le roi de France rouvrait déjà son casque : la victoire était sienne.

Passé l'instant d'effroi, comme à chaque fois, l'assistance acclama le vainqueur... Le duc de Nemours saluait la reine Catherine.

— Madame, vous souhaitiez me parler ?

— Monsieur le duc, rendez-moi, s'il vous plaît, un grand service. Allez trouver le roi et, pour l'amour de moi, suppliez-le de ne pas tenter le sort davantage. Il doit absolument renoncer à jouter ce soir.

Le duc voulut bien et, tout en délaçant des coudières qui lui tenaient chaud, il descendit de la tribune et, longeant la lice, se dirigea vers le roi. Henri, d'aussi loin qu'il le vit, lui lança, par jeu, un gantelet de fer. Les trompes annonçaient déjà l'entrée en lice d'un nouvel assaillant : le duc d'Aumale, frère des Guises et gendre de Diane. Nemours n'eut pas le temps de s'opposer à cet assaut déjà lancé. Tandis que les chevaliers se mettaient en place, il fit, en direction de la reine, un geste d'impuissance.

Cette seconde passe fut plus violente encore que la première. Henri, qui tenait peut-être son écu de travers, laissa partir son bras gauche en arrière ; il n'en remporta pas moins l'assaut. S'approchant alors de la tribune, il souleva sa visière et complimenta le duc de Savoie.

— C'est ce bon cheval, cria-t-il, qui me fait donner ces beaux coups de lance !

— Tant mieux, répondit le duc encore secoué par la confrontation. Je suis heureux que ma monture vous fasse si bon service !

❈

Cinq coups venaient de sonner au clocher voisin, et le public, las et assommé de chaleur, se mit à quitter les tribunes. Même de grandes dames – habituellement empressées à faire leur cour – s'excusaient sur l'heure déjà tardive pour s'éclipser par grappes.

Le roi remarqua cette désaffection, et la regretta, mais il ne laissa rien paraître de son irritation. Il était revenu vers ses gens et déjà mettait pied à terre quand le duc de Nemours l'aborda. Enfin.

— Sire, se lança-t-il en parlant à mi-voix, Sa Majesté la reine me prie de vous implorer : cessez de jouter, monsieur, pour l'amour d'elle.

Henri lui décocha un regard assez noir.

— Au vrai, ajouta Nemours, je partage l'avis de la reine : il fait trop chaud, le jour avance... Vous devriez cesser de vous travailler ainsi.

Le roi, sans une telle supplique, aurait-il demandé un troisième assaut ? Nul ne le saura jamais. Simplement, reculer après cette prière eût donné le sentiment qu'il obéissait à la peur...

— Dites à la reine que c'est pour l'amour d'elle, justement, que je courrai encore une lance. Mais foi de gentilhomme, ce sera la dernière.

Henri se disait-il que, l'âge aidant, il paraissait ce soir-là en lice pour la dernière fois ? Nemours, lorsqu'il y repenserait plus tard, devait s'en persuader.

Devant un public de moins en moins attentif, on fit donc entrer un troisième assaillant, empanaché de gueule* et d'azur. C'était Gabriel de Montgomery – ce même capitaine des gardes qui, deux semaines plus tôt, avait arrêté les magistrats en pleine séance du Parlement ! Le jeune homme, visiblement embarrassé, aurait aimé décliner l'honneur ; en effet son père, jadis, à Romorantin, avait failli tuer le feu roi François, en lui lançant, depuis une fenêtre, un tison ardent sur la tête... Cet épisode, mille fois raconté depuis, avait hanté la jeunesse de Gabriel et lui faisait craindre les effets d'une sorte de malédiction. Comment refuser, cependant, une lance au roi de France – surtout quand on porte, sur ses propres armes, des lys témoins d'une antique parenté avec la dynastie ?

* Rouge.

Sonneries de trompes ; charge des chevaux... Le nouveau heurt fut aussi violent qu'indécis. Les deux lances s'étaient brisées, mais sans donner de victoire évidente à l'un des cavaliers. Tous deux relevèrent leur visière.

— Il faut recommencer, dit le roi.

— Non, la victoire est vôtre, sire, protesta le jeune homme.

— Qu'en savez-vous ?

— Il ne saurait y avoir moyen de faire mieux !

Le maréchal de Vieilleville, accouru vers le roi, assura qu'un nouvel assaut eût marché contre la tradition.

— Je veux ma revanche, insista le roi. Il m'a fait branler sur ma selle et quasi quitter mes étriers !

Dans la tribune en pleine dissipation, le duc de Nemours avait rejoint la reine.

— Le roi m'a promis que cette lance était la dernière qu'il courait, lança-t-il, triomphant.

— Dieu soit loué, se réjouit Catherine.

Elle se signa plusieurs fois et, les yeux soudain rouges de soulagement, serra contre elle le dauphin François. Catherine souriait à Nemours.

— Merci, monsieur. J'ai bien cru...

Mais la reine n'eut pas le temps d'achever sa phrase. Le roi, sans même attendre la sonnerie des trompes, et sans que Vieilleville eût seulement le temps de rattacher la visière de son heaume, se précipitait à l'assaut. Le jeune Montgomery, pris de court, éperonna tout aussitôt. Mais il n'avait pas encore pu changer de lance ; celle qu'il arborait était dangereusement brisée...

Les deux cavaliers foncèrent l'un vers l'autre au grand galop, debout sur leurs étriers. Fracas du choc, raclement des lances sur les écus, dérapage des chevaux dans la poussière : tout cela tétanisa l'assistance. Les deux montures s'affaissèrent sur la croupe ; celle de Montgomery se releva tout de suite, et le cavalier, saisissant l'arçon, s'y rétablit sans peine.

Mais *Le Malheureux*, lui, finit la course tout de biais ; le roi, se cramponnant tant bien que mal à l'encolure, vacilla bizarrement, avant de se laisser glisser dans les bras des valets de lice.

Une clameur d'abomination s'éleva des tribunes.

Les juges du camp – les maréchaux de Montmorency et de Saulx de Tavannes – accoururent en un éclair ; ils se chargèrent du roi, le portèrent jusqu'à un banc. De la visière de son casque, encore ouverte, dépassaient des pointes de bois sanguinolentes.

La reine avait serré le dauphin contre elle ; ils s'évanouirent tous deux en même temps. La jeune reine d'Écosse poussait des cris d'horreur. Diane de Poitiers, droite et raide, avait porté ses mains à ses lèvres. La foule des seigneurs prenait possession de la lice.

Quand on eut retiré le heaume du roi, un flot de sang jaillit du visage, découvrant l'affreux spectacle d'esquilles de bois, longues, fichées dans son œil gauche. La lance, frappant le front au-dessus du sourcil droit, était venue s'enfoncer dans la tête, profondément, par le sinus opposé ! On tenta d'y voir plus clair en jetant au visage d'Henri un petit seau d'eau mêlée de vinaigre. Puis on réitéra l'opération avec de l'essence de rose. Le roi reprenait connaissance.

— Silence ! hurla Montmorency en se jetant soudain sur les curieux. Écartez-vous !

⁂

Le jeune Montgomery, exsangue, le regard complètement affolé, vint s'agenouiller tout près du blessé ; il suppliait qu'on le châtiât sur l'heure.

— Oh, sire, je vous en supplie : faites-moi trancher la main. Celle-ci, la main droite ! Non : qu'on m'ôte plutôt la tête, s'il vous plaît !

Cette étrange supplique arracha au roi une esquisse de sourire.

— Rien, eut-il la force de murmurer. Ne vous souciez de rien.

— Pardon, sire, oh, pardon !

— Vous n'avez pas besoin de mon pardon, vous avez... Vous avez obéi à votre roi comme... Comme un bon chevalier.

Le sang, qui persistait à gicler, rendait les paroles du roi difficiles à saisir. On porta le grand blessé jusqu'à l'hôtel royal ; le connétable et le duc de Guise tenaient le haut du corps, M. de Sancerre la tête, le prince de Condé et le vicomte de Martigues les jambes.

Parvenus au pied du grand escalier, ils durent cependant déposer leur maître ; le roi, qui s'était ressaisi, exigeait en effet de gravir les marches lui-même. On le soutint par les aisselles. À quelques pas derrière, un second cortège portait le dauphin évanoui.

On étendit le blessé sur le lit de sa chambre ; il faisait des efforts pour joindre les mains, que le connétable arrosa copieusement de vinaigre. L'orbite gauche était affreuse à voir, mais le roi levait au ciel son œil valide et, faisant le geste de se frapper la poitrine, murmurait déjà la prière des agonisants. Il essaya de transmettre un message.

— Sire, je vous écoute, dit le duc de Guise qui, lui-même, avait jadis eu le visage percé d'une pointe de lance.

— J'aurais dû écouter la reine, articula Henri. J'aurais dû…

Paris, hôtel neuf d'Étampes.

Cent heures, exactement, s'étaient écoulées. Quatre nuits et quatre journées pendant lesquelles, sans presque dormir, sans presque s'alimenter, la duchesse de Valentinois n'avait cessé de déambuler en cercles dans sa chambre. Elle avait interdit qu'on la dérangeât pour autre chose que des nouvelles du roi. Or elle n'en obtenait qu'avec difficulté – elle qui, huit jours plus tôt, régnait encore sur la Cour et savait tout d'Henri, jusque dans les choses intimes !

Son heure était-elle donc passée ? Peut-être…

Diane soupirait avec nervosité. Jusqu'à l'annonce éventuelle de la mort du roi – annonce inouïe, et qu'elle ne parvenait pas à seulement imaginer – elle refusait de se laisser enterrer vivante. Elle n'avait pas, tant d'années durant, construit si patiemment sa réussite éblouissante, pour se laisser déchoir avant l'heure, si facilement, et sans résister !

Son heure était peut-être passée… Sans doute, même.

Certains soirs, apprenant qu'Henri vomissait sans arrêt, ou que les fièvres le reprenaient, ou qu'il avait perdu connaissance, elle sentait peser sur elle le poids d'un fardeau immense, s'agenouillait, pleurait longtemps en silence – sur elle-même autant que sur lui. Lui réserverait-on le sort qu'elle avait fait subir, douze ans plus tôt, à la duchesse d'Étampes ?

Sûrement son heure était-elle passée.

Mais il suffisait que la rumeur lui revînt qu'on avait joué de la musique au chevet du blessé, qu'il avait avalé plusieurs compotes avec un apparent plaisir, que le duc de Savoie avait envoyé chercher Vésale jusqu'à Bruxelles, pour qu'un espoir aigu la traversât contre la raison même, et que, se redressant de toute sa hauteur, serrant les poings, gonflant la poitrine, elle se prît à y croire comme jamais.

Non, la très haute et très puissante dame de Poitiers, duchesse de Valentinois, n'avait pas dit son dernier mot. Et si, par un miracle singulier, ses instantes oraisons produisaient un quelconque effet, si par l'intercession de feu le Grand Sénéchal, son mari, ou de feu le bon Saint-Vallier, son père, Jésus et tous les saints parvenaient à ramener Henri II à la vie, alors on verrait. On verrait bien. On verrait comment elle traiterait les infâmes. On verrait quel sort elle réserverait à cette reine ingrate, à ces Guises félons, à cet inconstant connétable qui, tous, sans l'ombre d'un remords, l'avaient trahie et lâchée ! Tous...

Grimaçante de haine, Diane ôta d'un petit vase un bouquet desséché de fleurs que ses femmes, désorientées par son état, n'avaient sans doute pas eu l'idée d'escamoter. Elle en tordit les tiges de ses mains crispées, jusqu'à s'en faire mal et, la bave aux commissures, les yeux injectés de sang, déchiqueta les malheureuses comme elle l'eût fait de tous ceux qui, à quelques pas de là, venaient de la condamner.

— Maudits ! hurlait-elle à voix très basse. Maudits ! Maudits...

❊

Les rougeoiements du couchant nimbaient la pièce de reflets étranges. Une servante toute maigre entrouvrit une porte, qui grinça.

— Madame ?

Diane ne répondit pas.

— Madame, c'est Monseigneur qui demande à vous parler...

— Comment... Le connétable ? Tout serait donc fini !

Elle se ressaisit dans l'instant, arrangea sa robe d'intérieur, passa ses mains dans ses cheveux défaits.

— Entrez, ma fille, entrez. Appelez du monde ! Qu'on m'installe dans mon lit. Et qu'on me rende quelque apparence !

— Ce ne sera pas nécessaire.

Anne de Montmorency, poussant le vantail, était déjà dans la chambre. Diane, d'un regard immédiat et perçant, voulut savoir ; or elle comprit que rien n'était perdu.

— Le roi vit-il ? demanda-t-elle d'une voix privée de timbre.

— Oui, madame. Mais pour combien de temps ?

Elle se retourna, bouleversée, serrant son poing contre sa bouche. Le vieux sanglier paraissait hors de lui.

— Vous n'êtes pas la bienvenue là-bas ? Estimez-vous heureuse ! Ils sont trop fielleux et mauvais. Ah, les ignobles vautours !

Elle comprit, sans le demander, qu'il se plaignait surtout des frères de Guise.

— Cette fois, poursuivait-il, ils ont juré ma perte ! Le croirez-vous, si je vous dis qu'ils essaient de m'imputer le fait que la visière du roi ne fût pas attachée ? « En tant que juge du camp, m'a seriné tantôt votre immonde cardinal, vous auriez dû mieux veiller à ce genre de chose. » Par ma foi, ce foutu renard est bien capable de me traduire en justice là-dessus ; et faites confiance au Parlement pour lui offrir ma tête sur un plateau de vermeil !

Dans des circonstances aussi graves, un tel apitoiement sur soi aurait dû offusquer la duchesse, mais elle-même s'inquiétait assez de son propre sort pour comprendre – à défaut de les partager – les transes du connétable. Celui-ci paraissait affolé pour de bon.

— Mon amie, osa-t-il, dites-le-moi tout bonnement : que feriez-vous dans ma position ?

— J'éviterais de venir prendre les conseils d'une dame en sursis.

Il voulut bien sourire et s'excuser. La duchesse en profita pour le ramener au sujet central.

— Que disent les médecins ?

— Oh...

Montmorency affichait le plus résigné des fatalismes.

— Ce n'est plus qu'une question d'heures. On a fait exécuter des condamnés du Châtelet pour permettre au chirurgien Paré d'utiles comparaisons. Son verdict est sinistre : il ne voit pas comment le roi pourrait survivre. Du reste, j'avais...

Le connétable s'interrompit en devinant Diane tituber dans l'obscurité, et s'accrocher à l'une des colonnes du lit pour ne pas s'effondrer ; elle venait d'entendre les mots mêmes qu'elle avait redoutés, sans répit, depuis quatre jours. Il la saisit doucement par les épaules et l'aida lui-même à s'allonger.

— Pourtant, reprit-il, ce matin encore, la reine voulait y croire... Il lui avait confié son intention de se rendre, une fois guéri, en pèlerinage à Notre-Dame de Cléry...

Diane se mit à sangloter en silence.

— Il a beaucoup de courage, admit le sanglier, la gorge soudain nouée.

— Ça, je le sais ! gémit-elle en essuyant ses larmes de ses mains.

C'était la première fois, depuis l'accident, qu'elle pleurait sur lui et non sur elle.

— Personne ne saura jamais combien nous nous sommes aimés...

Des larmes se formèrent aux paupières du connétable. Il opina du chef, en silence. Dans le noir à peu près complet.

— Je l'ai bercé, dit Diane. Tout petit... Quand il faisait ses dents...

Cette fois, ils sanglotèrent en chœur. Il avait pris ses mains dans les siennes.

❋

La maigre servante reparut, armée d'une torche qui lui permit de rallumer quelques bougies. Ce fut comme si la vie – une vie certainement trompeuse – reprenait possession de la pièce.

— Pardonnez-moi, madame, il y a ici un huissier de la reine…

À ces mots, ils redoublèrent de chagrin. Le connétable tendit à la duchesse un grand carreau de lin brodé qu'elle avait laissé choir près du lit. Elle s'y moucha plusieurs fois.

— Faites-le patienter, ordonna-t-elle à la servante.

On vit alors cette scène inattendue : le connétable, encore grand maître de France, debout derrière la favorite, pas encore déchue, et l'aidant de ses grosses pattes maladroites à fixer dans ses cheveux quelques sublimes peignes d'ambre et de nacre… Quand elle s'estima prête, Diane s'assit sur une caquetoire, le maréchal debout à ses côtés ; puis elle fit signe à la servante de laisser pénétrer le messager.

L'homme, entre deux âges – un Italien peut-être – entra d'un pas hésitant. Son attitude laissa percer de la surprise lorsque, fouillant la pénombre, il perçut la présence du connétable.

— Madame, annonça-t-il, je suis venu sur ordre de la reine, pour vous prier de me remettre les joyaux appartenant à la couronne, et qui seraient en dépôt dans vos cassettes.

Diane comprit à ces mots que le roi était mort ; elle serra fort le bras de son vieux complice. Celui-ci se montrait plus circonspect.

— Le roi est-il mort ? demanda-t-il.

— Non, monseigneur. Mais on craint beaucoup qu'il ne passe pas la nuit.

— Le roi... Le roi n'est donc pas mort ? insista Diane d'une voix brisée.

— Non, madame...

— Alors, martela la duchesse sur le ton le plus ferme qu'elle put adopter, alors je n'ai pas encore de maître.

— Je...

— Vous repasserez, monsieur.

L'huissier resta indécis un instant, puis il s'inclina et sortit.

— Vous lui avez rivé son clou, approuva le connétable en se frottant la barbe.

Paris, hôtel royal des Tournelles.

Effondrée, fracassée par ce coup trop brutal, la reine Catherine, comme posée sur un fauteuil à quelques pas seulement du lit où souffrait son époux, se laissait sombrer doucement dans une sorte de léthargie, d'engourdissement des sens et de l'esprit, fait d'incrédulité devant un réel impossible et d'effarement de se voir y survivre. Elle avait d'abord caché son chagrin, pour ne pas décourager le blessé, puis, les lueurs d'espoir s'allumant une à une, elle avait discrètement prié, prié pour le rétablissement du roi... Depuis quelques heures, toutefois, le glissement inexorable de son mari vers un autre monde la laissait vide, hébétée – presque impatiente d'une fin quelconque et pourtant anéantie.

Le cercle noir et docte que faisaient, autour du lit, les médecins et les chirurgiens, lui cachait le cher et lamentable visage, dévoré à demi par un pansement énorme. Ces messieurs s'entretenaient à mi-voix, d'une manière si hermétique

que l'on eût dit, déjà, des religieux récitant leurs antiennes... Et puis soudain, sans que rien l'eût annoncé, le cercle se désagrégea ; la Faculté s'éparpilla comme une bande de corbeaux dispersés par quelque mystérieux signal. Un moment, le cœur de la reine s'arrêta de battre dans sa poitrine. Elle avait compris : les praticiens, tout pénétrés de leurs limites, abandonnaient le roi. L'abcès avait gagné tout l'intérieur du crâne ; trépaner n'eût plus servi de rien. La Médecine, impuissante, s'effaçait devant la Mort.

⁂

Dans un coin de la chambre, le jeune dauphin François, plus défiguré que jamais par les veilles et par la douleur, faisait peine à voir. Et c'est tout juste si la présence, à ses côtés, de la brillante petite dauphine et reine d'Écosse nuançait le tableau d'une touche d'espoir : pour consoler ceux qui pleuraient, Marie Stuart affichait trop de sérénité.

— Voyez mon oncle, il s'est endormi, fit-elle remarquer d'un ton presque amusé.

Elle désignait le cardinal de Lorraine, assoupi de fait sur un coffre, dans l'embrasure d'une fenêtre.

— Ma bonne mère voudra-t-elle un peu de bouillon ?

Catherine la dévisagea sans répondre, avec l'étonnement vague que l'on réserve d'habitude aux étrangers trop familiers. D'un regard, elle appela son fils auprès d'elle. François se leva donc et, accablé par le fardeau invisible de cette couronne qui se rapprochait de son front, vint s'accouder au fauteuil de la reine.

— C'est à vous que le roi aura dicté sa dernière lettre, murmura-t-elle. D'un père à un fils...

Elle laissa de grosses larmes rouler sur ses joues. La fameuse lettre, adressée au pape lui-même, prenait soin d'annoncer au Saint-Père l'arrestation du conseiller Du Bourg et d'autres parlementaires luthériens. Le roi y avait consacré ses dernières forces, comme au couronnement de son règne, à son ultime raison de fierté...

La reine Catherine se leva et, tenant son fils aîné par la main, le conduisit auprès de ce père expirant dont le visage, à présent tuméfié, n'exprimait plus aucune conscience de ce monde. Elle pensait certainement, dans ce moment précis, que cette agonie terrible touchait à sa fin.

Il n'en fut rien.

Bien que la blessure d'Henri fût atroce et profonde, quoique sa survie, dans de telles conditions, relevât d'une sorte de miracle inutile, le souffle du grand blessé ne s'éteignit pas aussi vite. Durant cinq jours encore, et quatre nuits, pendant plus de cent heures se perpétua, s'étira hors de toute raison, l'agonie du monarque.

⁂

Le lundi seulement, 10 juillet, vers une heure, le grand chambellan put souffler la bougie qui, près du mourant, trahissait la présence persistante d'un souffle de vie. Le grand roi Henri le

Second avait cessé de régner. Ses familiers en cercle, ravagés de fatigue, avaient trop guetté cette minute pour ne pas en ressentir, malgré eux, un certain soulagement.

La reine Catherine récita une prière ; elle baisa les mains du mort, entourées déjà d'un grand chapelet ; puis elle se dirigea lentement vers la sortie, entraînant la famille dans son sillage. C'est alors que se produisit le plus surprenant des esclandres.

La jeune reine d'Écosse, devenue reine de France par la grâce instantanée de ce trépas, joua des coudes afin d'atteindre la porte en même temps que sa belle-mère ; le duc de Guise, son oncle, lui emboîtait le pas. Catherine, au moment de sortir, hésita sur l'étiquette à suivre et jeta un regard au duc, qui demeura sans expression... Alors, le souffle court, et comme rappelée soudain à la plus vile réalité, elle intégra la préséance nouvelle et, sans faire de difficulté, s'abîma dans une révérence profonde – l'hommage d'une sujette à sa souveraine.

La courtoisie aurait voulu que la jeune Marie Stuart déclinât l'honneur, et s'effaçât discrètement devant cette veuve éplorée, mais elle était bien trop crispée sur ses prérogatives. Relevant le menton comme une reine de théâtre, elle prit donc le pas de la plus grossière façon, et sortit la première de la chambre funèbre, à la consternation générale.

Chapitre VIII

La conjurée

(Hiver 1560)

Paris, faubourg Saint-Germain.

L'avènement – à quinze ans – du petit roi François II fut aussi celui, consacré, de la famille de Lorraine. Oncles de la nouvelle reine Marie[31], les Guises firent en effet main basse sur les charges et le Trésor, nommant partout leurs créatures, poussant partout leurs intérêts, jouant de la jeunesse d'un souverain malingre et même souffrant[32]. Seule la reine mère aurait pu essayer de tempérer cette omnipotence ; seulement Catherine de Médicis, maintenue dans l'ombre un quart de siècle durant, et par nature respectueuse des rapports de force, préféra s'allier aux puissants du jour et, par là, renforcer un peu plus leur empire.

La révolte gronda, dès lors, contre ces « princes étrangers » qui avaient confisqué la couronne. Elle s'organisa surtout dans les milieux réformés, confrontés à un regain des persécutions ; dès Noël 1559, le conseiller Anne du Bourg, entre autres, avait péri sur le bûcher. L'on s'en émut beaucoup, tant dans le royaume qu'au-dehors. Ainsi naquit, en Suisse, le projet d'aller s'emparer des Guises, de réunir des états généraux propres à les juger, de rétablir le jeune roi dans ses pouvoirs et d'obtenir de lui des garanties et libertés pour les sujets protestants.

À ce grand dessein, Jean Calvin refusa pourtant de consentir ; de tels procédés heurtaient son loyalisme foncier. Peut-être aurait-il passé outre, à la limite, si l'affaire avait été menée par le roi de Navarre ou, mieux, par son frère, Louis de Condé. Mais puisque ces princes du sang s'étaient réfutés, il lui paraissait aventureux de laisser agir un chef désigné par défaut en la personne de ce La Renaudie que tout le monde appelait La Forest... Aussi bien, pour appeler à lui un parti de gentilshommes insurgés, Godefroy dut-il se passer de la caution genevoise.

Il n'en réunit pas moins quelque cinq cents hommes d'armes, venus surtout du Lyonnais, du Périgord, du Poitou, d'Anjou et de Bretagne, et même de Provence. Déguisés en marchands, tous avaient afflué à Nantes, *incognito*, à la faveur d'une foire et d'un procès. Ils y avaient élu un conseil de six membres autour de La Forest, et avaient fixé la conjuration au 10 mars.

Godefroy, galvanisé par leur confiance, avait ensuite pris le chemin de Paris, afin d'y rencontrer le prince de Condé et de lui rendre compte de tout.

⁂

— Vous semblez animé d'une haine ardente envers les Guises...

— Monseigneur, j'ai pour cela plus de raisons que d'autres, argua Godefroy. Rappelez-vous comment ils ont garrotté mon cousin de Buy[33], à Vincennes...

Louis de Condé se gratta le lobe de l'oreille.

— Je croyais savoir que vous deviez beaucoup au Balafré...

Il se disait en effet qu'autrefois, le sieur de La Renaudie n'avait dû son élargissement des geôles dijonnaises qu'à l'intervention de François de Guise.

— Monseigneur, si ces gens ont pu, jadis, faire de moi leur débiteur, tous les forfaits qu'ils accumulent aujourd'hui m'en ont exonéré.

— Tout de même, je trouve singulière cette espèce d'acharnement.

Godefroy demeura perplexe. Il était venu vers le chef naturel des Réformés de France avec l'espoir légitime de trouver une oreille, sinon complice, du moins bienveillante ; or c'est tout juste si l'aversion qu'il éprouvait pour les Guises ne lui était pas reprochée ! Son interlocuteur le scruta d'un œil bleu, soudain froid.

— Vous n'aurez pas droit à l'erreur, prévint-il. Les Guises sont comme certains scorpions : si vous ne les tuez pas du premier coup, ce sont eux qui vous feront la peau.

Le prince, à la mode calviniste, était vêtu de noir – même si l'étoffe de son pourpoint était des plus somptueuses. Il avait le nez un peu fort et les yeux exorbités. Ses lèvres charnues, entourées d'une barbe roussâtre et pointue, prenaient machinalement un air dégoûté.

— Notez que je vous trouve courageux, concéda-t-il. Mais...

Louis de Condé cherchait souvent ses mots ; certaines de ses phrases restaient en suspens de longs moments, emplissant la pièce d'un silence qu'il ne fallait pas s'aviser de rompre.

— J'ai beau faire, je ne crois pas que vous réussirez.

— Il nous suffit que vous le souhaitiez.

— Ah, pour ça oui, je le souhaite !

Godefroy sentait monter en lui une sourde colère.

— Monseigneur, raisonna-t-il, le duc de Guise dispose, à Blois, tout au plus de cinq à six cents hommes de troupe, au demeurant mal entraînés et fort peu motivés. Je puis aligner contre lui presque autant de gentilshommes, tous aguerris, enflammés par la conscience de prendre leur part d'un grand combat. Ne voyez-vous pas, dès lors, où le sort pourrait incliner ?

— Non... Mais je puis me tromper... Et vous avez ma bénédiction.

— Pourrais-je, monseigneur, vous suggérer de recevoir le conseil de capitaines que m'a donné notre assemblée de Nantes ?

Le prince fronça les sourcils.

— Ce ne serait pas leur rendre service, j'en ai peur. Et puisqu'ils sont, dites-vous, motivés, tâchons de leur garder intacte cette belle motivation.

Godefroy du Barry fulminait.

— Qui prendra la succession des Guises, si nos propres chefs se dérobent à leurs plus saints devoirs ?

— Une fois conquise la place, le rassura Charles de Castelnau, ils trouveront encore le moyen de s'en déchirer les arpents...

— Puissiez-vous dire vrai !

Paulon de Mouvans, chef adulé des Réformés de Provence, approuva d'un rire bruyant. Mais les Maligny – Jean de Ferrières et son frère, Edme – ainsi que les capitaines de Mazères et d'Aubigné*, paraissaient plus dubitatifs.

— C'est vous, baron, qui aurez en charge la personne du roi, rappela Jean de Ferrières en s'adressant à Castelnau. Il est très important que vous lui expliquiez d'emblée que nous n'œuvrons que pour son bien, et n'aurons de cesse que Sa jeune Majesté ne soit rétablie dans la plénitude de ses droits.

— Vous vous voyez déjà les maîtres de Blois ! protesta Jean d'Aubigné. Il y a pourtant loin de la coupe aux lèvres !

— C'est assez du prince de Condé pour nous décourager ! pesta La Forest.

Ils tenaient ce conseil dans la salle basse de la maison que leur louait un avocat protestant du nom de Pierre des Avenelles, dans le Faubourg Saint-Germain. Le maître des lieux, quoique sympathisant de la cause, avait du reste été soigneusement tenu à l'écart de la conjuration. Las, les réunions continues, comme les perpétuelles allées et venues de petits seigneurs à la mine conspiratrice, alarmèrent ce bon bourgeois...

Après trois jours de cet incessant manège, il apostropha Godefroy dans l'escalier qui menait à sa chambre.

---

* Il s'agit du père du poète et, dès lors, du bisaïeul de Mme de Maintenon.

— Messire, dit-il en se forçant à sourire, je ne voudrais pas vous paraître indiscret, mais il me semble, à ce que je vois, qu'il se brasse quelque chose dans cette maison...

— Rassurez-vous, cher maître, rien que de très avouable : nous préparons un carrousel qui doit se tenir en Périgord au printemps.

— Drôle de carrousel, à ce que j'ai pu ouïr...

La Forest crut qu'il allait manquer une marche.

— Et qu'avez-vous donc ouï, je vous prie ?

— Eh bien, je suis tombé – sans le vouloir du tout – sur un conciliabule que tenaient vos amis trop près de mes latrines... Ils ne parlaient que de siège, d'assaut, de supprimer messieurs de Guise et de placer la reine mère en surveillance...

— Vous aurez mal entendu, protesta Godefroy qui, néanmoins, redescendit quelques marches en direction du propriétaire.

— Non, je regrette, il...

Le Périgourdin l'interrompit. Il prit maître des Avenelles par le bras et fermement, le conduisit jusqu'à sa chambre, dont il referma la porte derrière eux.

— Vous en savez trop, dit-il d'une voix sourde, et je devrais vous tuer.

À ces mots, le pauvre homme ouvrit des yeux ronds et se mit à trembler.

— Je vous en supplie, messire, je soutiens votre...

— Y a-t-il une Bible ici ?

L'avocat fit un signe de tête en direction d'une étagère.

— Parfait, dit La Forest en s'emparant du livre.

Il le tendit à l'indiscret.

— Vous allez me jurer sur les Saintes Écritures de ne rien révéler de ce que vous avez pu entendre depuis trois jours.

Des Avenelles s'exécuta sans résister. Sur quoi Godefroy le renvoya rudement.

— Nous trahir, dit-il, serait signer votre mort.

— Je ne vous trahirai pas ! assura l'avocat, bouleversé. Bien au contraire, je vais prier pour le succès de vos entreprises.

Sur quoi le soir même, soupant avec son ami Millet, de la maison du duc de Guise, il lui révélait tout, dans les moindres détails.

— Je le fais pour le roi, dit-il, que cette troupe d'insensés voudrait placer sous sa coupe. Il ne faut point toucher au sang de France.

Blois et Amboise.

Charles de Guise, cardinal de Lorraine, lissait d'un air absent les deux longues pointes de sa barbe. Son regard vif et mobile, faussement jovial, scrutait la moindre réaction sur le visage de son frère aîné ; n'y trouvant rien à déchiffrer, il se mit, par nervosité, à jouer avec l'énorme bague que lui avait offerte sa grande amie la duchesse de Valentinois, quelques semaines seulement avant sa disparition de la Cour… Du reste les Guises, lorgnant sur les possessions de Diane, auraient volontiers contribué à précipiter sa chute, mais la reine Catherine était intervenue pour que la disgrâce fût maintenue dans des limites bienséantes.

— Je ne sais qui, d'eux ou de nous, aura le dessus, conclut enfin le duc en repliant une missive ; mais je leur souhaite sincèrement de l'emporter. Car, dans le cas contraire, ma vengeance sera sans bornes.

— Qui vous dit qu'ils n'en disent pas autant de nous ? s'inquiéta Charles dont le courage n'était pas la vertu dominante.

François dévisagea son frère, et sourit d'un rictus carnassier, qui déformait fâcheusement sa balafre. Il se leva en repoussant la chaise dont les pieds vernis grincèrent sur le superbe carrelage.

— Je pense qu'ils nous promettent les pires tourments, admit-il. Car cette lutte est une lutte à mort. De son issue dépendra le maintien de la France dans la chrétienté, ou son glissement dans l'hérésie barbare.

À force de tourner sur le gant écarlate, la bague glissa et tomba sur le sol, rebondissant avec un bruit sinistre. Le cardinal y vit un présage.

— Ne devrions-nous quitter la Loire et nous réfugier le plus loin possible ?

Cette fois, le duc rit de bon cœur.

— Nous allons quitter Blois, concéda-t-il, mais sûrement pas la Loire.

Il se baissa, ramassa la bague, la mit à son doigt pour juger de l'effet puis, sans prévenir son frère, la lui lança comme une balle de paume. Le cardinal la rattrapa d'un geste précis.

— Nous allons mettre le roi et sa famille en lieu sûr, précisa François. À Amboise, par exemple, dont la taille, plus modeste, et la situation plus sûre, me permettront d'organiser notre défense.

— La question, intervint Charles, est de savoir ce que feront les grands chefs huguenots[34].

— Vous voulez parler d'Andelot, de Condé, de Bourbon ?

— Je pensais surtout à Coligny.

— Coligny n'est pas vraiment des leurs... Il a trop à gagner encore dans le giron du connétable...

— Pensez-vous qu'ils viendront nous porter l'estocade ?

— Sincèrement ? Non.

Le duc de Guise s'approcha d'une fenêtre dont les plombs, constellés de gouttelettes, brillaient au soleil de mars.

— Simplement il convient de s'en assurer. Je vais les convoquer au plus vite. À Amboise, donc…

Le cardinal s'assura que la bague avait bien repris sa place.

— Partons, approuva-t-il, ne restons pas ici !

❦

Depuis qu'à Noyon, Simon avait fui cette auberge par les derrières, tout avait changé entre Françoise et La Forest. Des mois durant, le Périgourdin avait écumé Lausanne, puis Genève ; il y avait croisé bien du monde ; pis : il y avait épousé une certaine Guillemette de Louvain, fille d'un obscur Roignac… À la stupéfaction générale, il était donc rentré de Suisse aussi droit, aussi fidèle, qu'il y était parti débauché.

— Je t'avais prévenue, disait Simon. Ce n'était pas un homme pour toi.

— La dernière fois que vous m'avez dit qu'un homme me convenait…

En vérité, c'était la duchesse d'Étampes qui, une semaine plus tôt, avait alerté Françoise : son grand ami allait prendre la tête d'un complot insensé contre la couronne. « Ces choses-là finissent toujours mal, avait prédit l'ancienne favorite. Croyez-moi, il y perdra la vie. »

Alors, n'écoutant que son cœur, une fois de plus, Françoise était allée chercher son oncle elle-même, à Ourscamp. Faisant vibrer sa corde sensible, elle l'avait convaincu de l'accompagner jusqu'à ce Val de Loire où devait s'effectuer le coup de force...

— Nous le trouverons, disait-elle, et nous le dissuaderons.

Ils avaient emprunté deux chevaux aux moines cisterciens, s'en étaient laissé voler un dans un relais, à Vendôme, avaient fini le voyage à deux sur la même monture...

Restait cependant le plus difficile : retrouver la trace du « soldat errant ».

⁂

Le vieux sanglier observait, depuis le balcon d'Amboise, la Loire qui, langoureusement, sinuait entre l'île d'Or et ses îlots dans un couchant doux et mauve. Depuis la mort du grand roi Henri – Dieu ait son âme – et l'avènement de cet étourneau maladif, il s'était vu tenir, par les Guises, le plus loin possible des cercles de décision. En même temps, le Balafré s'attachait à le garder à portée de vue, histoire de s'assurer qu'il ne comploterait pas dans l'ombre... « Précaution superflue, se disait Montmorency, car je me fais vieux. » Mais en vérité son esprit, toujours agile, savait bien que les bras et les jambes de ses neveux Châtillon pouvaient, au besoin, seconder les siens...

De l'œil du connaisseur, le connétable se fit une idée du dispositif mis en place par les Guises autour de la demeure royale. Les effectifs en étaient plutôt modestes, mais la place, en à-pic sur la falaise et mise en défense, serait très difficile à prendre. À moins que l'assaillant ne disposât de forces considérables, ce qui paraissait douteux.

Où se cachait-il, au demeurant ? Où ces prétendus conjurés armaient-ils donc les arcs, les bombardes, les arquebuses avec lesquels ils viendraient prendre d'assaut l'aire du jeune monarque ?

— Quelle paix trompeuse ! lui siffla dans l'oreille le cardinal de Lorraine. On dirait, à voir ces martinets dans le ciel, que rien ne couve. Que rien ne se trame...

— Nos querelles humaines affectent peu les oiseaux, répondit le connétable avec une bonhomie cachant mal la plus cinglante ironie.

Ils rentrèrent. Dans le grand cabinet, François de Guise, visiblement tendu, jaugeait les frères de Châtillon : non seulement Gaspard de Coligny et François d'Andelot, mais aussi Odet, le cardinal.

— Vous qui fréquentez certains milieux, demandait le duc au second, m'assurez-vous que les... Évangélistes du royaume refuseront leur aide aux conjurés ?

— Ceux que vous nommez « conjurés » n'ont pas le soutien de Genève, répondit d'Andelot. Ils n'auront donc pas celui des ministres* parisiens. Cela les condamne à coup sûr à l'échec.

— Vraiment !

— À condition naturellement, précisa Coligny, que la couronne fasse un geste notoire envers les Réformés...

Cette restriction, au lieu de gêner Guise, le rassura ; elle indiquait que son véritable adversaire,

* Les pasteurs.

l'amiral de France, songeait à marchander sa neutralité. Or le duc, fin stratège, préférait les assurances achetées aux garanties par trop gratuites.

— Et que seriez-vous prêt à regarder comme « un geste notoire » ?

Curieusement, c'est le connétable, si peu suspect d'hérésie, qui lui répondit. Le politique, ici, prenait le pas sur le fidèle.

— Amnistie et liberté ! asséna-t-il.

— Ce que veut dire mon oncle, commença le cardinal de Châtillon…

— Il a très bien compris, le coupa Montmorency.

— Amnistie pour les crimes d'hérésie ; et bien sûr liberté de culte, confirma François de Guise.

Il échangea un regard avec son frère ; le cardinal de Lorraine semblait offusqué.

— Il est à craindre, estima l'aîné, que malheureusement l'Église…

— Il est à craindre, l'interrompit Coligny, que l'Église ne soit bientôt plus en mesure d'imposer quoi que ce soit en France !

— Il a raison, concéda le cardinal de Lorraine.

— Il a raison, reprit son frère. Bien… Dans ce cas, je vais préparer un texte que nous signerons dès que possible.

— Et pourquoi pas tout de suite ? insista Coligny.

— Nous attendrons, si vous le voulez bien, l'arrivée du prince de Condé, expliqua le duc de Guise. Son paraphe au bas d'un tel acte me paraît d'une importance capitale.

Tout le monde en convint. Si bien qu'au sortir de là, les Châtillon eurent sans doute le sentiment d'avoir dominé le cours d'un entretien dont ils n'étaient que les dupes[35].

Châteaux d'Amboise et de Noizay.

Parmi les bras armés de La Forest, le capitaine Jean de Ferrières était celui qui, à première vue, inspirait le plus naturellement confiance. À quarante ans, son long visage hâlé, sa barbe et ses cheveux tout bouclés, fort noirs encore, ses grands yeux bien dessinés, lui donnaient l'air éminent d'un Alcibiade* des Temps modernes.

Son âme, hélas, n'était pas si élevée.

Envoyé par les conjurés en reconnaissance à Amboise, il ne s'en tint nullement à la vue d'ensemble du château, des ouvrages renforcés et des positions de défense… Né homme de cour, lié depuis toujours à Louis de Condé, il accéda sans peine au saint des saints, pourtant impénétrable, et se fit annoncer au prince en dépit de l'heure tardive. Celui-ci se releva pour le recevoir, lui posa quelques questions sur la

* Général athénien du Ve siècle av. J.-C., disciple et ami de Socrate.

conjuration, et n'eut aucun mal à le convaincre d'abandonner un complot voué à l'échec, pour ne pas dire au ridicule.

— Filez à l'instant chez la reine mère, lui conseilla le prince ; évidemment, vous ne m'avez pas vu.

Catherine le reçut sans délai, intriguée de ce qu'il avait à dire.

— Madame, lança-t-il sans détour, l'amitié que je porte au prince de Condé et, au-delà, le grand respect que je voue au roi, mon maître, ainsi qu'à Votre Majesté, m'ont convaincu de vous livrer les dispositions militaires de La Renaudie.

Il révéla d'abord que l'attaque décisive, initialement fixée le 10 mars, avait été repoussée d'une semaine pour prendre en compte le déplacement de la Cour à Amboise, et la défection ouverte du prince de Condé.

— Mais que croyaient ces gens ? demanda Catherine en haussant les épaules.

Puis, sans se faire prier davantage, Ferrière déplia aux pieds de la reine mère une carte des environs, où figuraient, en rouge, les points d'appui de l'assaillant, ses relais, ses circuits de ravitaillement... Il alla jusqu'à révéler le refuge des conjurés : un certain château de Noizay !

— Mon ami, décida finalement la reine mère, un peu dépassée par tant de précision, je crois que vous devriez ramasser tout cela et me suivre chez le duc de Guise.

Ainsi firent-ils une incursion presque nocturne dans le cabinet du Balafré qu'ils trouvèrent, contre toute attente, en grande conférence avec le connétable.

— Nous sommes tout ouïe, cher ami.

Les deux stratèges écoutèrent de concert les explications de Ferrières ; puis, alliant leurs expertises, ils demandèrent toutes les précisions utiles, notamment à propos de Noizay ; de sorte qu'avant minuit, plus rien ne leur échappait du dispositif adverse.

⁂

— Pas une heure, tu m'entends ? Pas une minute de plus !

— Vous me laisseriez mourir, seule, au milieu des soudards ?

— Quels soudards ? Je ne vois ici que de hardis gentilshommes ! En tout cas, ce n'est pas en restant que je sauverai ta petite vie !

Furieux, Simon enfourcha leur unique cheval. Il avait bien l'intention de quitter Noizay au plus vite. Françoise, s'agrippant à la bride, l'empêcha de manœuvrer.

— Allons, lâche cette monture, ne fais pas l'enfant !

— Vous n'avez pas le droit de m'abandonner ainsi.

— N'inverse pas les rôles ! C'est toi qui m'abandonnes. Quant à moi, je t'ai accompagnée dans l'unique but de convaincre ce fou de renoncer à ses plans ! Sûrement pas dans celui d'y prendre part !

Françoise comprit qu'elle n'obtiendrait plus rien par la force ; alors elle changea de tactique. Lâchant la bride, elle se laissa tomber comme un sac, et se mit à pleurer, prostrée. Simon remit pied à terre : jamais il n'avait pu résister aux larmes de sa nièce.

— Encore une fois, dit-il d'un ton radouci, viens avec moi ! Tu n'as plus rien à faire ici, mon petit. Nous avons vu ton La Forest ; nous lui avons parlé ; il ne nous a pas écoutés ; nous ne pouvons plus rien pour lui.

— Mais ces gens...

— Parce qu'ils ont fait le choix de la mort, faut-il que nous mourions aussi ?

— La cause en vaut la peine !

Cette fois, Simon changea de ton. Plaquant sa nièce contre un arbuste, il approcha son visage tout près du sien ; il éructait.

— Je n'ai pas pour habitude de me laisser piéger. Si ton but était, en m'attirant ici, de m'amener à trahir la couronne contre mon gré, considère que tu as échoué.

De colère, il la jeta au sol. Puis il se remit en selle, fit faire un tour complet à sa monture et se dirigea vers la colline. Il n'avait pas plutôt quitté le château que la voix de Françoise l'appelait.

— Attendez ! implorait-elle. Attendez-moi !

Simon arrêta son cheval et, dès qu'elle fut à sa portée, il la hissa devant lui et relança l'animal sans un mot.

❋

Françoise et son oncle avaient quitté Noizay juste à temps : dans les deux heures qui suivirent, le duc de Nemours, envoyé par François de Guise, allait placer des hommes partout aux alentours, interdisant la moindre sortie, maîtrisant le plus secret accès. Or, au lieu de faire prendre le château d'assaut – ce qui eût mobilisé des forces et généré des risques – le duc, sur les conseils de Montmorency, choisit de mettre simplement la main sur tous ceux qui, en ordre dispersé, gagnaient le nid des conjurés ou bien s'en échappaient...

Ainsi furent pris, par traîtrise et sans pouvoir opposer la moindre résistance, les barons de Castelnau, de Mazères, de Raunay – le propriétaire des lieux... La surprise et la colère aidant, tous perdaient leurs moyens et devenaient des proies faciles.

— Jurez, leur disait le duc, que vous n'avez jamais souhaité rien attenter contre la Majesté du roi, et vous serez honorablement traité, dans un souci de concorde et d'apaisement.

Qu'ils aient ou non cru de tels serments, tous jurèrent d'autant plus volontiers qu'il n'était jamais entré dans l'intention des conjurés de s'attaquer aux jeunes souverains. Les Guises seuls étaient visés... Naturellement, une fois menés à Amboise, ils étaient jetés au cachot, maltraités, torturés, en attendant une sanction que l'on avait prévue sans pitié.

À la fin, la place était assez dégarnie, assez privée de tout secours possible, pour que Nemours s'en emparât à peu de frais. Ceux qui survécurent à l'incursion finale furent mis à la chaîne comme des forçats, et conduits sans ménagement jusqu'aux caves d'Amboise, hâtivement converties en prisons de fortune.

C'est un rescapé de cet ultime assaut qui, fuyant à travers bois quoique blessé, fut repéré bien plus loin par Simon, et livra la terrible nouvelle aux Coisay, dans son dernier souffle. Françoise, affolée, supplia son oncle de la laisser partir seule, pour plus d'efficacité, prévenir

La Forest. C'était un nouveau sacrifice qu'elle lui mendiait ; ce fut un nouveau sacrifice qu'il lui fit, à la condition tout de même qu'elle consentît à le retrouver, sous la vieille halle d'Amboise, cinq jours plus tard, le 20 mars, à midi sonnantes. Elle promit tout ce qu'il voulut, et enfourcha comme un homme le cheval blanc qu'elle lança tout de suite au galop.

Simon, le cœur serré, ne put que voir s'éloigner et disparaître cette nièce impossible, qu'il semblait condamné à toujours perdre, toujours sauver, toujours reperdre.

Aux environs d'Amboise.

En vérité, Françoise avait eu grand mal à retrouver la trace de Godefroy. Il lui avait fallu deux jours et deux nuits pour rejoindre les derniers conjurés ; encore n'était-elle tombée que par hasard sur leur curieuse troupe, et bien après que l'offensive fut officiellement lancée.

— Noizay est tombé ! cria-t-elle en direction de La Forest, sitôt qu'elle fut à portée de voix. Noizay est tombé !

Le chef leva la main pour arrêter sa horde, et maintint le bras grand ouvert pour l'attraper et la serrer contre lui. De selle à selle.

— Veux-tu un cor de chasse, pour faire encore plus de bruit ? feignit-il de la gronder.

La jeune femme se mordit les lèvres. Elle salua les autres conjurés, tous silencieux et tristes. On se remit en route.

— Françoise, lâcha Godefroy dans un soupir, je connais la sinistre nouvelle depuis une bonne journée, déjà.

— Mais comment ?

— As-tu déjà vu un pigeon ?

Elle se tut un long moment, vexée.

— Mais dans ce cas, demanda-t-elle en réalisant la situation, où courez-vous ainsi ?

— Nous courons à la mort, répondit-il.

Françoise se dit qu'à leur visage, à leur mutisme, tous ceux qui l'accompagnaient auraient pu n'être, de fait, que des morts vivants.

— Godefroy, s'angoissa-t-elle, que signifie cet acharnement ? La conjuration est éventée, et...

— Peut-être, mais ce qu'il reste de conjurés se battra jusqu'au bout.

— C'est pure folie, dit-elle.

La Forest marqua un temps de réflexion, ou bien de lassitude... Puis il jeta un regard sépulcral dans celui de son amie.

— Ce que tu taxes de « pure folie » aurait pu réussir ; et tu l'appellerais alors « pur génie ». Il y a si peu, de l'un à l'autre !

Ils approchaient d'Amboise quand, de nouveau, le chef leva la main. Tous s'arrêtèrent ; ils devaient être une petite quarantaine.

— Pour toi, dit-il à Françoise, l'histoire s'arrête ici.

— Non ! gémit-elle.

Elle n'en pouvait plus, de ce fatalisme sanglant.

— Et que prétends-tu faire ?

— Je veux me battre avec vous, mourir avec vous. Ne suis-je pas digne d'être des conjurés ?

— Nous n'allons peut-être pas mourir, s'amusa Godefroy. Mais si tu continues à nous faire perdre du temps, je ne donne pas cher de nos vies...

— Non ! gémit-elle de nouveau.

— Françoise, murmura La Forest, il faut que tu apprennes à dire « oui » aux évidences.

Ils s'éloignèrent vers la ville, laissant la malheureuse tout éplorée sur son cheval écumant. D'un peu loin, il lui sembla que Godefroy se retournait et lui disait qu'elle était digne d'être conjurée...

Le soir, en franchissant, désarmée, pied à terre, les portes de la ville, elle apprendrait que le « scélérat du Périgord », accompagné de ses complices Cocqueville et Deschamps et de toute une troupe indomptable, avaient attaqué la place à un contre dix... La plupart d'entre eux y avaient laissé la vie, mais pas La Renaudie qui, tel un diable, était encore passé au travers !

Ce qu'il restait de cavaliers, autour de Godefroy, n'était plus qu'une bande errante, comme les survivants d'un naufrage. Ils déambulaient, sans vrai but, entre le Cher et la Loire, entre Chenonceaux et Chaumont. Vivant le plus possible en forêt pour se tenir à couvert, ils devaient se méfier de tout : des loups, des habitants hostiles, et surtout des bandes armées qui, sur ordre des Guises, sillonnaient le pays à leurs trousses.

C'est ainsi qu'en pleine clairière, ils finirent par croiser un escadron monté. Son chef, un dénommé Pardaillan, était parent de La Forest. Les deux compagnies n'eurent besoin d'ordres ni d'un côté, ni de l'autre. À peine les cavaliers s'étaient-ils entrevus qu'ils fondirent sur l'ennemi, hurlant de peur et de hargne, se jetant, pique en avant, les uns contre les autres. Le bruit mat des coups, le martelage des sabots sur le sol, les cris des guerriers, les hennissements des montures, tout cela fit un effroyable vacarme ; le sang jaillit, des membres et des têtes volèrent.

Les conjurés, harassés par leur interminable chevauchée, se battaient presque à un contre deux. Ils n'en luttèrent que plus ferme, jetant dans cet affrontement désespéré leurs ultimes forces rassemblées.

Godefroy, dans ce tumulte, avait repéré son parent. Tuant un adversaire, puis un autre, il parvint à s'en approcher et, attrapant une pique aux mains d'un compagnon éventré, eut l'habileté de la porter dans la visière de Pardaillan, lui infligeant la même blessure mortelle que Montgomery au roi Henri ! Mais il ne profita pas de son exploit ; le page du blessé, outré de voir ainsi finir son maître, venait de tirer un coup d'arquebuse qui, d'une même détonation, mit fin au combat comme aux jours du Périgourdin. On le vit se pencher sur l'arçon, perdre le contrôle de son cheval, balancer de droite et de gauche. Il était mort.

Les compagnons de Pardaillan portèrent le corps de La Renaudie jusqu'à la ville, comme un trophée qu'ils se passaient de main en main. On le hissa jusqu'au château, pour le montrer au roi et à la Cour ; on le redescendit au marché, où il fut lié au pilori, surmonté d'un panonceau qui indiquait : « La Renaudie, dit La Forest, chef des rebelles ». Un garnement vint lui couper le nez, ce qui fit craindre que la foule ne vînt l'écharper.

Alors les bourreaux s'en occupèrent eux-mêmes. Déposant le chef des conjurés sur l'échafaud, ils le dépouillèrent et, sous les yeux de la foule, plantèrent sa tête sur une pique, découpèrent son corps en quatre quartiers qu'ils clouèrent sur des pieux, aux deux extrémités du pont.

C'est ce que découvrit Françoise quand, s'étant reposée au relais d'Onzain, elle revint à Amboise, le 20 mars, comme elle l'avait promis à son oncle. Elle commença par se voiler le visage, sans sacrifier au hideux spectacle, mais ce fut plus fort qu'elle : il fallut qu'elle levât les yeux vers les restes immondes de son ancien amant, qu'elle eut la souffrance de reconnaître.

Les douze coups sonnaient à la tour de l'Horloge quand, plus morte que vive, elle se laissa tomber dans les bras de son oncle.

— Je ne vais pas trop bien...

Elle prononça ces mots du ton le plus inhabituel, au point de préoccuper Simon.

Château d'Amboise.

L'odeur du sang, ferreuse, écœurante, enivre certains hommes, presque aussi sûrement que les vapeurs de l'alcool. Les Guises en furent l'objet, prisonniers de la terreur rouge où ils se complurent, se vautrèrent, se souillèrent à jamais. Pendant plusieurs jours, les exécutions capitales se succédèrent sur l'échafaud devenu visqueux à force d'hémorragie. Le sang des conjurés teinta ruisseaux et rigoles jusque dans la ville, au bas du coteau. Et les corps martyrisés, entassés sur des charrettes, firent écho à ceux pendus aux arbres, cloués aux pieux, fichés aux portes de la cité… Jamais la Rome des Césars elle-même, n'avait offert un tel tableau.

En dépit de la pestilence infâme, le cardinal de Lorraine respirait à pleins poumons. La frayeur qu'il avait conçue d'abord, et si mal cachée, faisait place, à présent, à son indécente gloriole ; tout lui paraissait drôle, dérisoire même ; et les critiques affreuses qui pleuvaient sur les siens l'amusaient comme autant de satires.

— Oh, gloussait-il, celle-là est forte ! Oh, oh !

Un pamphlet, publié à Strasbourg, venait de lui parvenir, intitulé *L'Épître envoyée au Tigre de France*. Un plumitif huguenot l'y dépeignait sous les traits d'un fauve assoiffé de sang. Loin de s'en offusquer, Charles paraissait se repaître d'une telle prose. « *Tigre enragé, vipère venimeuse, sépulcre d'abomination, spectacle de malheur, jusqu'à quand abuseras-tu de la jeunesse du roi ? Tu fais profession de prêcher la sainteté, toi qui ne connais Dieu que de parole, et fais de la religion chrétienne un masque pour te déguiser... Qui ne vois rien de saint que tu ne souilles, rien de chaste que tu ne violes, rien de bon que tu ne gâtes...* »

— « Sépulcre d'abomination », jubilait-il.

C'était trop amusant, il fallait que son frère en profitât. Il entra chez le duc par une porte dérobée, et le trouva en pleine audience. Un envoyé du gouverneur de Picardie était venu, de la part de son maître, s'enquérir de sa santé.

— Elle est fort bonne, répondit François. Dites-le à votre maître.

L'émissaire, choqué par le spectacle sanglant de tous les cadavres exposés, osa demander s'il mangeait encore de bon appétit.

— Et comment ! Tenez, je vais vous montrer de quelle viande je me nourris.

Le duc sonna. Bientôt une porte s'ouvrit, et l'on amena un prisonnier de belle prestance.

— Qu'on le pende comme les autres, ordonna François.

Les gardiens passèrent une corde au cou du captif qui se laissa faire noblement. Ils en nouèrent l'extrémité aux barreaux de la fenêtre, et poussèrent l'homme dans le vide. L'émissaire ferma les yeux d'horreur. Le cardinal, lui, battait des mains.

— Viande excellente, dit-il. Excellente.

— J'en tuerai, conclut le duc, tant qu'il en restera.

❊

Chaque jour après dîner, la famille royale venait voir exécuter les conjurés. Mais on avait dressé la tribune trop près de l'échafaud, de sorte qu'à plusieurs reprises, le sang d'une tête, en voletant, vint tacher les soies et les velours brochés d'or.

La reine mère feignait de trouver cela normal. Elle donnait au roi son fils, à sa belle-fille Marie Stuart, à ses autres enfants, l'exemple parfait de la dignité impassible. Puisqu'il fallait que s'opère le châtiment, il leur appartenait, disait-elle, d'honorer de leur présence la fin de ces pauvres hères. Privilège du rang.

Le cardinal de Lorraine était moins digne, assurément, qui plaisantait avec les dames, leur faisait remarquer d'insignifiants détails et s'amusait à ridiculiser les condamnés. Il jouait aussi des peurs et des fragilités de François II, pour l'exciter à se réjouir du sang versé.

— Voyez, sire, comme ces gens-là sont fiers ; même l'imminence du supplice ne suffit pas à flétrir leur orgueil. Imaginez quel sort ils eussent réservé à Votre Majesté, si nous les avions laissés faire.

— Tous ont affirmé vouloir servir le roi, contesta Catherine.

— Oui, en mettant le siège à sa demeure !

De temps en temps, la jeune reine Marie soupirait ; elle baissait la tête et se mettait les mains sur les yeux. Catherine faisait mine de ne rien remarquer. Seule la duchesse de Guise, née Ferrare*, osait manifester tout haut sa nette réprobation.

— Tout ce sang m'effraie, soupirait-elle. Vous verrez qu'il finira par retomber sur nous !

La suite, pendant vingt ans, lui donnerait mille fois raison...

— Celui-ci, c'est Castelnau, un des chefs ! précisa soudain le cardinal de Lorraine.

Il donnait ce genre d'indications de l'air entendu de ceux qui, au spectacle, ont reconnu le danseur, ou la chanteuse. Le bourreau, impressionné peut-être, dut s'y reprendre à plusieurs fois.

Vint le tour d'un certain Villemangis, qui s'agenouilla devant le billot comme les autres. Mais, au lieu de tendre le cou aussitôt, le condamné prit le temps de bien tremper ses mains dans le sang répandu devant lui ; les levant alors, toutes maculées, bien haut, il lança une imprécation vers le ciel.

— Voici le sang de tes enfants, Seigneur. Tu les vengeras !

Le cardinal ne goûta pas la plaisanterie.

— Allons, pesta-t-il contre le bourreau. Mais qu'attend-il donc, l'animal ?

Pendant toutes ces longues séances, le prince de Condé demeura impassible, assistant en silence à l'exécution de tous ceux qui, officieusement au moins, s'étaient battus en son nom.

---

* Elle était fille de Renée de France, donc petite-fille de Louis XII et d'Anne de Bretagne.

Chapitre IX

La souveraine

(Automne 1561)

Saint-Pierre, près de Compiègne.

La plus modeste maison du hameau, placée trop près d'un grand tilleul, recevait durant l'automne une pluie de feuilles mortes qui s'accumulaient sur ses chaumes et jusqu'au rebord des lucarnes. Françoise de Coisay pouvait rester des heures à les regarder voleter au vent, les yeux dans le vague, aux lèvres un pauvre sourire.

— Françoise, allons ! la houspillait parfois son oncle, qu'une telle indolence excédait.

La malheureuse sursautait, grimaçait confusément à l'adresse de l'importun ; puis elle s'en retournait au cours imprécis de ses songes... Depuis longtemps, rien ne l'attachait plus vraiment aux réalités. Les semaines lui étaient devenues une succession de jours atones, à peine teintés à l'occasion d'événements domestiques dont la fidèle Nanon, comme au bon vieux temps, s'acharnait à ponctuer les saisons : il y avait le temps des lessives, le temps du filage, le temps de la teinture...

Un matin, Françoise était installée sous l'appentis, à carder une laine improbable, quand un cavalier armé surgit presque sous son nez ; elle ne s'en effraya nullement.

— Ma commère, lança-t-il avec condescendance, je suis à la recherche de la demeure des Coisay.

— Vous y êtes, répondit-elle d'un ton neutre.

— Mais où est-ce, exactement ?

— Elle vient de vous répondre, intervint sèchement l'oncle qui, depuis l'intérieur, avait suivi la scène. Simon de Coisay, pour vous servir. Et voici ma nièce, Françoise.

Le cavalier parut un peu décontenancé.

— J'accompagne, dit-il, une dame de qualité qui souhaitait vous parler. Elle attend là-haut, devant l'église. Puis-je vous l'amener ?

— Et qui donc est cette dame ?

— C'est la duchesse d'Étampes, répondit le cavalier en s'éloignant déjà.

Si l'homme avait attendu sa réponse, il est probable que Simon lui aurait dit qu'il ne recevait plus, ne voulait voir personne – surtout pas les témoins de son ancienne aisance. Mais pris ainsi au dépourvu, le gentilhomme n'eut d'autre choix que de faire bonne figure.

Anne de Pisseleu, emmitouflée dans une vaste cape de renard blanc, ne voyageait pas en litière ; à plus de cinquante ans, elle continuait de monter une haquenée, blanche elle aussi, avec la souplesse d'une jeune fille.

— Qu'il est doux de vous voir, dit-elle aimablement à Simon, alors qu'il l'aidait à en descendre.

— Madame, vous auriez dû prévenir. Nous n'avons plus, ici, de quoi recevoir, et…

— C'est votre nièce que je viens revoir. Et pour ce qui est de votre situation, je la connais et vous en plains de tout cœur. De grâce, ne vous mettez en peine de rien.

Simon aurait pensé qu'une visite aussi marquante, aussi peu attendue que celle de la duchesse d'Étampes, aurait tiré Françoise de sa léthargie. Il n'en fut rien. La duchesse l'avait pourtant abordée avec entrain.

— Chère petite, quelle joie c'est pour moi !

— Bonjour, madame.

On ne put rien tirer de plus de la malheureuse.

— Allons, s'impatienta Simon. Ne reconnais-tu pas Madame d'Étampes ?

— Si, je la reconnais bien, répondit Françoise en esquissant une courbette.

— Madame, se lamenta l'ancien écuyer, il faut l'excuser : ma nièce a subi trop de misères dans sa courte existence ; son esprit n'a pas résisté.

— Je la trouve en tout cas bien belle, et reposée, complimenta la duchesse.

Mais elle ne put tout à fait dissimuler son émotion devant un spectacle aussi triste. Vint le moment gênant où l'hospitalité la plus élémentaire allait devoir contraindre Simon à prier la visiteuse d'entrer dans une maison indigne d'elle ; c'était compter sans l'élégance native de la dame.

— Si nous faisions quelques pas vers ce lac ? proposa-t-elle en glissant, dans un geste aussi familier que noble, son bras sous celui de Coisay.

Il opina du chef, gagné soudain par une obscure nostalgie des politesses de cour... Il se rappelait, tandis qu'ils foulaient d'un pas absent des jonchées de feuilles mortes, tout un chapelet de scènes d'autrefois, de moments desséchés par le temps – à commencer par cette incroyable nuit de plaisir qu'ils avaient connue ensemble, à Lyon, avec le pauvre Montecucculi*. C'était un quart de siècle plus tôt.

— Je suis navré que ma nièce...

— Ainsi nous avons un nouveau roi, coupa-t-elle pour alléger la conversation.

— C'est ce qu'on m'a dit. Mais en vérité, nous vivons ici loin de tout... Les nouvelles qui nous parviennent ont désormais un règne de retard.

Simon exagérait. Il n'avait jamais pu se couper tout à fait du monde ; et même au temps où il avait vécu, convers, chez les moines d'Ourscamp, ses antennes étaient demeurées sensibles aux moindres nouvelles de la Cour. Rentré d'Amboise avec sa nièce, il avait donc, depuis son village, appris la convocation des états généraux, à Orléans, l'arrestation et la condamnation à mort du prince de Condé, le sauvetage inespéré de ce dernier par la maladie, et la mort rapide du petit roi François II, emporté dans d'atroces souffrances... Il avait, auprès d'anciens amis de son frère, suivi surtout le cours des affaires religieuses, à commencer par l'adhésion globale des Protestants de France au calvinisme.

Anne de Pisseleu ramassa une grosse feuille mordorée, qu'elle fit distraitement tourner entre ses doigts.

— La reine Catherine s'est vu confier la régence pendant toute la minorité de Charles IX. Désormais, elle n'est plus la reine mère, mais bien la

* Voir *Les fils de France*.

souveraine de ce pays... François Ier l'avait percée ; il me disait toujours qu'elle deviendrait une grande dame.

Ils étaient parvenus, à pas lents, jusqu'aux berges de l'étang des Mousseaux, d'où l'on apercevait, au loin, le manoir de Coisay.

— Votre véritable maison... soupira la duchesse.

— Non, rectifia doucement le gentilhomme. C'était celle de mon père, celle de mon frère. Mais je ne m'y suis jamais senti chez moi... Ma vraie maison est ici.

D'un œil enveloppant, il désignait le paysage d'automne.

❋

Quelque temps après cette visite tout empreinte de nostalgie, Françoise avait rompu le morne cours de leur survie. Par un jour venteux de novembre, Nanon l'appela, comme de coutume, pour un dîner toujours frugal. La jeune femme ne répondit pas. Simon prit le relais, appela vers les bois, vers l'étang.

— Françoise ! Françoise ?

Comme elle ne répondait pas davantage, il sentit l'angoisse le gagner et, sellant sa jument – seul vestige encore digne de son passé d'écuyer –, entreprit d'inspecter les environs.

— Françoise, mon petit, réponds-moi !

Ne lui revint que l'écho. Simon de Coisay mobilisa la communauté villageoise ; on rassembla les chiens, on s'équipa de torches et de lanternes ; et dans le soir qui tombait s'organisa une vaste battue.

— Françoise ! Françoise ! criaient jusqu'aux enfants, avec une familiarité que l'urgence de la situation paraissait justifier.

C'est l'aide du maréchal-ferrant qui la retrouva, pelotonnée sur elle-même au pied d'un arbre, transie de froid et, depuis longtemps sans doute, sans conscience. Pourquoi s'était-elle aventurée aussi loin de la maison ? Le savait-elle elle-même ? Certains soulignèrent qu'elle était proche de la route de Noyon : avait-elle voulu marcher vers les lieux où l'on avait supplicié son père ?

Simon la prit dans ses bras, sans descendre de cheval, et la ramena jusqu'à Saint-Pierre où Nanon, pendant toute la nuit, ne cessa de la frictionner, de la cajoler, de tenter de lui faire boire des bouillons dont la malheureuse, toujours inconsciente, ne pouvait prendre la moindre gorgée.

Au petit matin, elle était morte. Simon tomba dans les bras de la vieille servante, et ils pleurèrent ensemble, bien amèrement, sur le gâchis de cette vie ravagée par l'intolérance du siècle, sur la terrible destinée de cette femme qui avait vu, tour à tour, son père brûler sur le bûcher, son mari pendre au gibet des Halles, son amant découpé en quartiers sur le pont d'Amboise...

— Toi seule peux me comprendre, gémit Simon en adressant à Nanon le plus lamentable des regards. Toi seule sais encore quelle jeune femme admirable elle était...

— Et quelle dame elle serait devenue sans tout cela, approuva la vieille entre deux sanglots. Même si, ajouta-t-elle dans un souci d'honnêteté, je ne l'ai jamais vue très concernée par la tenue d'une maison...

Puis elle alla chercher, dans l'unique armoire de la maison, un drap bien propre, bien plié, qu'elle remit à son maître pour qu'il en recouvrît la jeune morte.

Poissy, couvent des Dominicaines.

Le coche de la reine Catherine, venant de Saint-Germain-en-Laye, se trouvait en vue de Poissy. Chez les dominicaines de cette ville se tenait alors une assemblée du Clergé, complémentaire des états réunis à Pontoise un peu plus tôt – l'objet de tant de colloques étant, comme toujours, le sauvetage d'un Trésor en souffrance.

Voyant les représentants de l'Église assez bien disposés, Catherine de Médicis avait eu l'idée d'en profiter pour les amener à disputer, sur le plan de la théologie, avec un certain nombre de prédicateurs réformés. La position de la reine mère était que les violences – et peut-être la guerre civile – ne pouvaient qu'être le fruit d'une ignorance mutuelle. Elle en était persuadée : qu'on laisse ces gens s'expliquer entre eux et se connaître un peu mieux, et la paix religieuse reviendrait en France !

C'était faire preuve d'une singulière naïveté, et tenir à peu de chose les profonds différends qui opposaient, à tous niveaux, fidèles du pape et adeptes de Calvin... Mais la foi de Catherine s'accommodait de bien des compromis ; elle devait supposer qu'il en était de même pour tout le monde.

La souveraine avait exigé, par politique autant que par faveur, de prendre avec elle, dans sa voiture, et le cardinal de Lorraine, champion de l'Église, et Théodore de Bèze, champion des Réformés. Comptant sur leur éducation, leur intelligence, leur volonté de plaire à tous deux, elle pensait pouvoir mettre d'accord ces deux maîtres avant le commencement des débats. Et de fait, le voyage fut doux : pimenté de saillies parfois sévères, mais assez policé, somme toute, assez courtisan même pour ne jamais dépasser les limites d'une honnête conversation.

— Messieurs, proclama la reine alors que le coche abordait le couvent, nous sommes à la veille d'une réconciliation générale. Vous en serez les grands artisans, et le mérite vous en reviendra.

— C'est à vous, madame, qu'il faudra porter tout son crédit, flatta le cardinal.

— À condition, fit observer l'envoyé de Genève, qu'il y ait un crédit...

Le réfectoire des dominicaines était méconnaissable, tant la pompe royale en avait habillé les murs et sublimé les volumes. Tout au fond, sur la tribune de velours bleu semé de lys d'or, siégeaient en majesté le nouveau roi, Charles IX, lui-même fleurdelisé, la reine mère Catherine en robe noire à longs voiles, le duc d'Anjou, frère du roi, sa sœur Marguerite de France, le roi et la reine de Navarre... Derrière eux, tout un aréopage de dignitaires, dont plusieurs farouchement convertis à la Réforme. Et devant, un carré de prélats et de théologiens, en grande majorité catholiques. Les quelques débatteurs calvinistes se trouvaient assis à gauche de la tribune ; eux devaient, pour s'exprimer, se lever et venir à une barre – comme des témoins dans un procès !

Catherine glissa volontairement sur leurs protestations, et lança les fameux débats dont elle attendait de si grands bénéfices.

Elle rayonnait, à la fois bien assise sur un trône que personne ne lui contestait plus, et dévouée à cette cause de modération qui lui paraissait se confondre avec la monarchie elle-même. Tandis que le nouveau chancelier, Michel de L'Hospital, rendait hommage, à titre préliminaire, aux légendaires qualités de « prudence et clairvoyance » de la souveraine, celle-ci croyait toucher enfin du doigt une forme d'accomplissement. Enfin, et malgré tous les obstacles, toutes les entraves suscitées par une époque ardue, elle était devenue pleinement cette souveraine qui, depuis si longtemps, couvait en elle ; elle était devenue « Madame Catherine ».

Les débats s'ouvrirent par une dispute à propos de l'eucharistie. Le cardinal de Lorraine, bien décidé à faire sa cour, prit grand soin de se montrer modéré dans son exposé. Lui qui, naguère à Amboise, applaudissait aux pires supplices contre les Huguenots, voilà qu'il marchait à présent sur des œufs ; à propos de la présence réelle du corps du Christ dans l'hostie, il se contenta d'affirmer, conciliant et vague, la

« communion réelle avec le Christ » lors de la réception du sacrement.

Catherine, lorsqu'il se rassit, le gratifia d'un sourire qui faisait bien voir à tous qu'elle avait apprécié ce bel effort de pondération.

Las ! Quand vint le tour de Théodore de Bèze, le colloque prit un autre tour. Le représentant de Genève avait reçu, juste la veille, un courrier de Calvin lui-même, l'incitant à la plus grande rigueur théologique, afin de pousser l'adversaire à la faute. C'est ce qu'il fit, attaquant sans détour le dogme de la présence réelle.

— Le corps du Christ, conclut-il haut et fort après d'autres provocations, est aussi éloigné du pain et du vin que le ciel est éloigné de la terre !

Le cardinal de Lorraine, jusque-là presque affable, avait pâli ; il affichait un air effaré devant une intransigeance aussi outrée. Dans son dos, le cardinal de Tournon, représentant du pape, ne se contenta pas de mimiques ; se levant de manière solennelle, il hurla dans le réfectoire le mot terrible : « *Blasphemavit* ! » – « Il a blasphémé ! », repris par les uns, hué par les autres, dans un déchaînement d'insultes.

Le scandale suprême était né, de la bouche d'un pasteur et de celle d'un cardinal...

Ainsi sombra l'essai louable de conciliation de Madame Catherine : son colloque de Poissy, réuni à des fins pacifiques, devait s'inscrire dans les annales comme le sombre préambule d'une effroyable guerre civile.

❦

Ballottée par les accidents de la route, malmenée par des vents poussiéreux qui la firent tousser sans arrêt, mais aussi – bien plus encore – dégoûtée de l'acharnement des hommes à toujours refuser la paix, la reine repartit fort accablée ce soir-là. La présence, à ses côtés, de ses enfants – dont le petit Édouard, duc d'Anjou*, si vif et si joli – fut une maigre consolation pour celle qui, quelques heures plus tôt, croyait avoir enfin conquis la gloire.

* C'est le futur roi Henri III.

Château de Saint-Germain-en-Laye.

Pour les Guises, le colloque de Poissy et, plus généralement, l'indulgence de la reine envers les Huguenots, donna le signal du départ. Le Balafré, ses frères cardinaux, le duc d'Aumale, mais aussi les grands seigneurs de leur mouvance – on les appelait à la Cour « ceux de Guise » – bouclèrent leurs malles et chargèrent un train de chariots, sans que Catherine ne songe sérieusement à les retenir.

Ils quittaient la place après un combat acharné de plus de quinze ans – quinze ans d'abus, de vols et d'exactions, mais aussi de grands services rendus à l'État, et pas seulement dans les armes. Déjà leur nièce, la reine Marie Stuart, avait été gentiment reconduite en Écosse, quelques semaines plus tôt... Aussi régnait-il partout, dans leurs quartiers, chez leurs gens, la lourde atmosphère des fins de règne.

— Ce que je crains, avait lancé Charles lors d'un ultime souper de cour, c'est que cette Florentine ne donne tout le pouvoir à Coligny, L'Hospital et leur clique, et n'en vienne, avec le temps, à convertir la monarchie capétienne, fidèle à Rome, en une monarchie calviniste, fidèle à Genève !

— Nous ne la laisserions pas faire, le rassura François, chef de famille.

— Ah non ? Et comment pourrions-nous agir, depuis Nancy et la Lorraine ?

C'est pour répondre à cette question qu'un plan fut mis sur pied, le plus audacieux jamais conçu par ce clan diabolique.

❈

Le duc de Guise avait un fils aîné, Henri, que ses onze ans rendaient proche du jeune duc d'Anjou[36]. Dûment chapitré par son père, le garçonnet n'eut de cesse, dans les jours qui suivirent le fameux souper, d'effrayer son compagnon de jeux sur la question du complot huguenot.

Aussi est-ce un prince déjà préparé – pour ne pas dire assez inquiet – que le duc de Nemours fut chargé d'aller circonvenir. Encore jeune, très avenant, cet aimable guerrier avait noué des liens amicaux avec Anjou, qui portait volontiers sur lui un regard ébloui. Profitant de sa charge à la tête des gardes suisses, il ne lui fut pas difficile d'isoler le jeune prince un moment, et de s'accroupir à sa hauteur pour lui parler, dans les yeux, des terribles dangers qu'il courait.

— Croyez-moi, monseigneur, dit Nemours, je tremble pour vous et les vôtres.

L'enfant n'était pas si naïf ; il se contenta de hausser les épaules. Le duc insista.

— Parlons clair : êtes-vous calviniste ?

— Je suis de la religion de ma mère.

Réponse fort habile, de la part d'un enfant de dix ans… Nemours ne put s'empêcher d'en sourire. Mais il avait une mission à remplir.

— Si vous étiez calviniste, poursuivit-il, je m'inquiéterais moins. Seulement vous ne l'êtes pas ; et quand ces gens, qui préparent un complot furieux, se seront emparés du pouvoir, ils vous le feront payer. Vous serez tué, voilà ce qui m'effraie !

— Nous verrons bien, conclut le duc d'Anjou, tout en agaçant un petit chien de la pointe de son soulier.

Tout son maintien trahissait la gêne et l'envie d'en finir au plus vite avec cet entretien.

— Il sera trop tard, faites-moi confiance. Ne suis-je pas votre ami ?

L'enfant haussa de nouveau les épaules.

— Suis-je ou non votre ami ? insista l'autre.

— Vous l'êtes, concéda Anjou. Cela ne vous rend pas infaillible…

— Il y aurait un moyen, déclara Nemours. Votre ami, le jeune Henri de Guise, va suivre ses parents à la Cour de Lorraine. Et vous savez qu'on mène là-bas la vie la plus agréable. Vous-même, si vous vouliez le suivre, pourriez connaître enfin le bonheur d'être le premier après Dieu. Ici, en France, vous ne serez jamais que le frère du roi, le second, l'oublié… Là-bas, chacun vous traiterait en futur roi que vous êtes ; vous échapperiez au sort affreux qui vous attend ici, et bénéficieriez en même temps…

Le duc de Nemours s'interrompit : il venait d'apercevoir, un peu cachées par une tapisserie, deux dames silencieuses qui, visiblement, espionnaient pour le compte de la reine Catherine.

— Enfin, conclut-il, nous en reparlerons ! Gardez pour vous ce que je vous ai dit ; nous en reparlerons.

Il disparut aussi vite qu'il était venu. Dès qu'il fut libre, le petit duc d'Anjou n'eut rien de plus pressé que d'aller trouver sa mère pour lui raconter, dans le détail, « le projet de son enlèvement ».

C'était résumer, en cinq mots, le dernier plan des Guises.

❈

La reine Catherine était trop habile, trop prudente, pour retarder, par un scandale quelconque, un départ qu'elle avait tant espéré. Aussi bien garda-t-elle pour elle les révélations de son fils préféré – mais non sans lui octroyer une garde spéciale, ni le tenir le plus possible à portée de vue.

— Maman, avait quand même demandé l'enfant, est-il vrai que les Huguenots vont nous tuer ?

— Croyez-vous que si c'était le cas, je ne vous enverrais le plus loin possible d'ici ?

Édouard embrassa la reine mère de tout son cœur.

Le matin du départ des Guises, quelque six cents cavaliers, cuirassés comme pour la guerre, vinrent se ranger, dans un ordre absolument impeccable, sous les fenêtres de Catherine. Feignant de ne pas s'émouvoir d'une telle démonstration de force, elle salua les membres de cette famille que déjà, dans son cœur, elle haïssait plus que tout.

— Vous allez tellement me manquer ! dit-elle à la duchesse de Guise en lui caressant le bras de manière affectueuse.

La concernant, la reine était sincère. Mais alors qu'elle allait baiser l'anneau du cardinal de Lorraine, elle aperçut ce maudit Nemours qui, l'air dégagé, parlait encore à l'oreille de son fils. L'envie la gagna de faire immédiatement arrêter et torturer ce spadassin sans étoffe. Mais elle parvint à conserver sur elle-même un certain empire.

— Que vous a-t-il encore dit ? questionna-t-elle son fils un instant après.

— Il m'a dit : souvenez-vous de ce que je vous ai dit.

Catherine releva la tête. Désormais, quoi qu'il puisse arriver, elle lutterait de toutes ses forces contre la famille de Lorraine.

Parmi les spectateurs de la scène, il en est un qui aurait dû se réjouir : c'était le connétable de Montmorency qui, quoique perclus de rhumatismes, n'aurait pour rien au monde manqué un tel départ. Trois ou quatre ans plus tôt, voir les Guises se sauver de la sorte eût, assurément, comblé tous ses vœux.

Mais les choses avaient beaucoup changé, depuis quelques mois ; et pour un peu, le vieux sanglier eût envié ses ennemis favoris. Eux quittaient la Cour sans tache, sans aucune compromission avec « l'hérésie » ; lui, était condamné à voir ses propres neveux, – des hommes qu'il avait faits, poussés, installés –, prendre la tête de la Réforme en France, et conduire une politique inconcevable du temps des grands rois François et Henri.

— Maréchal, finit par lui lancer la reine, vous me paraissez bien songeur…

— C'est, madame, que je ne comprends plus ce monde. Je dois être trop vieux.

Elle ne sut que répondre, et laissa le connétable à ses regrets ; on l'eût dit chargé de tous les péchés de la Terre.

Epilogue

Le messager

(Octobre 1565)

Par un matin lumineux d'automne, alors qu'il balayait des feuilles amoncelées sur son seuil, Simon de Coisay reçut la visite d'un petit homme tout gris, tout terne qui, de manière inespérée, prétendait n'être là que pour lui restituer ses biens – à commencer par le manoir.

— Vous arrivez, lui dit Simon, comme le lutin des contes…

Ce notaire agissait, disait-il, en exécution des volontés testamentaires de mademoiselle Catherine d'Albon, fille unique du défunt maréchal de Saint-André, elle-même emportée par un poison au monastère de Longchamp. Elle connaissait l'histoire de la confiscation de Coisay, et s'était lamentée, devant témoins, sur le sort d'une famille injustement spoliée.

Simon fit entrer le notaire, et tout en l'écoutant, tira pour eux deux un carafon de vin d'épines.

— Savez-vous, monsieur, comment s'est décidé le sort du baron, votre frère – Dieu ait son âme ?

— Je ne suis pas certain de souhaiter le savoir…

Le notaire passa outre.

— Figurez-vous que le feu Saint-André l'a joué aux dés avec la duchesse de Valentinois !

— Joué aux dés ?

Simon se signa ; il s'estimait heureux que sa nièce ne fût plus là pour entendre pareille vilenie.

— Mais que vient faire ici la grande sénéchale ? demanda Simon.

Car il continuait de l'appeler ainsi.

— C'est elle qui a tout machiné, expliqua le tabellion. Elle avait enrôlé un espion du nom de Caboche, qui l'a mise au courant des liens de votre frère avec les Genevois. Comme elle avait besoin d'argent, et le maréchal autant qu'elle, tous deux confièrent aux dés le soin de les départager. C'est le feu Saint-André qui l'a emporté : il a donc eu votre domaine !

Les mâchoires de Simon se crispèrent sous sa barbe maintenant blanche. Le notaire se racla la gorge : revenant à sa mission première, il entreprit de lire les actes de cession, « au profit du sieur de Coisay », de l'ancienne propriété de son frère…

Pour Simon, tout cela venait trop tard.

Il fit mine, poliment, d'écouter ce que disait l'homme tout gris, mais en lui-même, il ne songeait déjà plus qu'à venger son frère, sa nièce, et tous les autres. Ainsi prit-il, à brûle-pourpoint, la résolution qui paraissait s'imposer. Puisque, une fois de plus, la grande sénéchale apparaissait, après coup, comme l'organisatrice du malheur, c'est elle qui allait payer.

L'ancien écuyer, sitôt le notaire parti, ressortit une dague de chasse, bien fine et bien solide, que lui avait offerte autrefois le duc d'Alençon. Il l'affûta, l'éprouva... Puis il entreprit de découvrir où se terrait, pour l'automne, l'indestructible Diane.

⁂

Simon, pour trouver sa victime, dut se rendre jusqu'à Limours, cette ancienne résidence de la duchesse d'Étampes où son frère – il l'ignorait – avait passé, jadis, des heures bien douces. Diane de Poitiers le reçut sans se faire prier, assise dans un lit somptueux, de brocard d'argent – un peu blafarde, un peu éteinte mais belle encore et bien préservée. Son regard mauve, surtout, n'avait rien perdu de son fameux éclat.

Elle parut se souvenir assez bien de lui, au point de le taquiner dès qu'il fut introduit dans la chambre.

— M'apporteriez-vous ma rentrée en grâce ?

Vingt ans plus tôt, en effet, c'est par lui qu'elle avait appris que François Ier la chassait de la Cour... Elle avait, depuis lors, parcouru tant de chemin !

— Je suis venu vous poser trois questions, dit-il sans perdre une minute en politesses.

— Nous n'avons plus, ni vous ni moi, l'âge de jouer aux questions et aux réponses. D'ailleurs le passé ne m'intéresse plus ; mon salut seul m'occupe désormais.

« Elle ment, pensa Simon. Elle ne vit que de souvenirs. »

Le décor de la pièce semblait le prouver : portraits des feus rois, cadeaux de souverains étrangers, animaux de compagnie empaillés, gravures de fêtes oubliées – et même une robe d'apparat montée sur un mannequin, comme en une parade funèbre.

— Comment va votre frère ? osa-t-elle demander.

Maladresse ou provocation, cette entrée en matière affermit Simon dans sa résolution : de sa main droite, il effleura la forme dure de la dague, glissée dans sa manche opposée. Il allait lui ficher cela dans le cœur.

— Mon frère est mort sur le bûcher, arrêté sur vos instances, à l'issue d'un plan de votre invention.

— Nous y voilà, soupira-t-elle. Encore un qui m'en veut à mort !

Elle ricana doucement.

— Mon pauvre ami, apprenez donc que je n'ai jamais fait arrêter personne. Si votre frère était un hérétique, ceux qui chassent les hérétiques l'auront condamné, voilà tout ; je le regrette, mais qu'y pouvons-nous ?

« Ment-elle ou se ment-elle à elle-même ? »

— Vous l'aviez joué aux dés avec le maréchal de Saint-André !

— Je n'ai jamais rien joué aux dés, et surtout pas avec Saint-André ; il n'était pas de taille ! Enfin, monsieur... Qui a bien pu vous mettre de telles sottises dans la tête ?

Simon laissa la dague glisser un peu de sa manche. Trois pas, un coup, c'était fait.

— Madame... Est-il vrai que vous ayez gagé le jeune Caboche ?

— Caboche... Cet insensé qui a voulu tuer le roi ?

Elle disait « le roi » pour évoquer le défunt Henri II, comme si depuis, ni François II, ni Charles IX n'avaient existé.

— Vincent Caboche a été mon neveu par alliance...

— Je ne vous félicite pas, se permit-elle.

« L'ignoble harpie... »

Simon tremblait de rage. Tout se heurtait dans son esprit : la mort du dauphin François, le duel d'honneur avec Jarnac, cette entrevue de Lyon où elle avait essayé de l'utiliser contre son propre frère* !

— J'ai pu, dans le passé, dit-il, me prêter à vos stratagèmes. Aujourd'hui, je sais qui vous...

— Vous me faites penser que j'ai quelque chose à vous remettre, le coupa-t-elle. À condition de mettre la main dessus.

Elle fit l'effort de se lever, s'appuyant sur une corne d'ivoire. Simon vit alors qu'elle boitait. Trop coquette – ou trop fière – pour passer là-dessus, elle s'excusa de cette infirmité sur un accident survenu au printemps.

— Je me suis, souffla-t-elle, rompu la jambe sur le pavé mouillé d'Orléans : mon cheval y a glissé, il est tombé sous moi et m'a presque écrasée.

— Vous boitez méchamment, lâcha Simon, perfide.

— À nos âges, les os ne se ressoudent plus si bien... Pour un peu, je serai morte avant d'être remise.

« Puisses-tu dire vrai ! »

Elle avait assorti sa remarque d'un sourire à la fois si digne et si triste que Simon, malgré toute sa rancœur, ne put s'empêcher de soupirer. D'ailleurs, plus il la voyait, plus il sentait fondre sa haine au feu d'une certaine nostalgie qu'ils

* Voir *Les fils de France*.

devaient partager... Sa conscience se rebella : il était venu accomplir un acte de justice.

— Si nous devons, dit-il, mourir d'ici peu, vous et moi, vous pouvez bien me révéler ce que vous savez de la mort des héritiers du roi François Ier : le dauphin et le duc d'Orléans...

Elle feignit de n'avoir rien entendu et, maniant dextrement de belles boîtes de marqueterie, s'absorba dans les papiers qu'elle y remuait de ses doigts décharnés. Le regard mauve se fit inquisiteur.

— Mais qu'en ai-je fait, grands dieux, qu'en ai-je fait ? Ah, la voici !

Elle extirpa d'un paquet de lettres une petite missive au papier bleuté, couverte d'une belle écriture couchée que Simon eût reconnue à quinze pas...

« L'écriture de Gautier ! »

Du coup, l'affaire du courrier détourné ressurgit à la conscience du petit frère indigne. C'était un grief de plus à l'encontre de la duchesse : ne l'avait-elle pas payé, lui Simon, puis menacé, afin qu'il conserve par-devers lui des lettres adressées à Gautier par Françoise – l'amour de sa vie ? Comment avait-il pu entrer dans une telle manigance ? Quarante années plus tard, cela lui semblait impossible à comprendre.

— Comment osez-vous... commença-t-il.

— Voici une lettre, le coupa-t-elle sans s'émouvoir, que votre frère avait envoyée, jadis, à ma demoiselle d'honneur. Une nièce du roi par la main gauche.

— Françoise de Longwy.

— C'est cela. À cette époque, sur injonction de la régente Louise, j'ouvrais le courrier de cette jeune fille.

Simon était bien placé pour le savoir ; comment pouvait-elle l'avoir oublié ? Diane poursuivit.

— Or j'ai trouvé cette lettre-là si forte, si pure, qu'elle m'a émue. Même, je dois dire que j'en fus, peut-être, un peu envieuse…

« La garce ! »

— Je vais bientôt brûler tous ces papiers ; il ne faut pas laisser trop de choses derrière soi… Seulement, pour ce qui est de cette lettre, je serais chagrinée de la jeter aux flammes. Autant vous la remettre.

Et d'une main qui ne tremblait aucunement, elle tendit à Gautier le morceau de papier bleuté. Il hésita un instant, le prit, commença de le déplier pour le refermer tout de suite, et le glissa dans sa manche. Il y heurta la petite dague, toujours prête à tuer…

— Voyez-vous, dit Diane avec une expression de douleur que Simon ne lui avait jamais connue, Dieu m'a beaucoup donné en ce monde… J'ai eu le savoir, le pouvoir et bien sûr la richesse. J'ai croisé de grands personnages, connu des moments admirables et d'autres, terribles ; j'ai pesé sur le destin de mes pairs, j'ai laissé mon empreinte sur le règne d'un grand monarque… Mais il est une chose que je n'ai pas pu connaître…

Son froid regard, enfin réchauffé de larmes, chercha celui de l'ancien écuyer, qui se dérobait. Simon ne voulait pas être le confident servile de cette femme. Il se leva donc et, sans la saluer, quitta la chambre d'un pas résolu.

— Où allez-vous ? s'étonna-t-elle. Attendez…

Elle se mit à crier.

— Je vous parlais, monsieur ! Je vous parlais ! J'allais vous confier mon secret !

Sa voix se brisa. Simon l'abandonna aux regrets de sa triste vie, au milieu des spectres d'un passé tout révolu.

Il ne l'avait pas tuée. On ne tue pas une morte.

⁂

C'est chez les bénédictines d'Almenesches, en Normandie, jadis réformées par la regrettée Marguerite d'Alençon, que Simon finit par retrouver Françoise de Longwy, veuve de l'amiral Chabot de Brion. Elle ne tenait plus à la vie que par un fil, et la jeune moniale qui, pleine de dévouement, s'occupait d'elle nuit et jour accueillit le visiteur par des mots étranges.

— Puissiez-vous, monsieur, apporter à cette malheureuse ce qu'elle paraît attendre, et qui l'empêche de s'en aller au Ciel !

La petite religieuse était-elle douée de divination ? Simon de Coisay jeta un regard circulaire à la chambre, toute simple mais paisible. Il s'approcha du lit de la mourante et, prenant délicatement sa main, vint plonger ses yeux dans les siens, déjà fixes.

— Françoise, fit-il doucement, Françoise, c'est moi. C'est Simon.

Elle resta muette un moment.

— Simon ? articula-t-elle enfin.

— Vous me reconnaissez ?

En guise de réponse, une grosse larme ronde glissa sur la joue de cette femme.

— Simon...

L'ancien écuyer se pencha pour comprendre ce qu'elle tentait de lui dire.

— Simon, votre frère n'est plus, n'est-ce pas ?

Il sourit.

— Hélas, non, dit-il. Il nous a quittés, voilà onze ans déjà.

Elle ferma les yeux, esquissa une grimace.

— Simon...

Il s'approcha plus près encore. Elle faisait visiblement des efforts pour parler.

— J'aurais tant aimé le revoir !

Il jeta un bref regard en direction de la jeune moniale qui, comprenant la situation, s'éclipsa aussitôt.

— Françoise, dit-il, on m'a confié une lettre qui vous était adressée, mais ne vous est jamais parvenue. Une lettre de Gautier...

— De Gautier ?

Simon sortit le pli bleuté de sa manche et, d'un geste hésitant, pudique, le glissa dans la paume de Françoise. Elle en caressa le papier, pourtant rêche, avec des trésors de tendresse. Puis, dans un effort qui dut lui coûter, elle leva la main pour lui rendre la lettre.

— Vous lisez ?

Il fit « oui » de la tête, déplia la petite feuille et s'éclaircit la voix.

— « *Mon amie, ma Françoise,*

« *Il me semble qu'il y a bien longtemps, des années, un siècle peut-être, que nous sommes loin, si loin l'un de l'autre, que ton regard n'est plus là pour me donner des forces, que tes lèvres...* »

Simon, soudain gêné, s'était interrompu.

— Allons ! s'impatienta Françoise.

Il sourit et reprit son souffle.

— « *...que tes lèvres manquent à mes lèvres, à mon cou, à mon corps... Françoise, tout est si pesant, si terne, quand je te sais ailleurs ; alors que ta présence baigne tout de lumière et de joie ! Je me dis, pour survivre, que ton petit cœur est là-bas, quelque part, bien vivant, et qu'il bat pour tout l'univers. Je me dis que tu penses à moi, comme je pense à toi, et pas seulement quand nos regards se croisent sur la lune, à minuit – n'oublie pas ! Je me dis que ce qui est vécu nous appartient, que c'est un bien pour moi, un bien pour toi, un bien pour le monde. Et comme cela ne suffit pas à combler le manque terrible qui me dévore, je me dis enfin que ce papier, dans quelque temps, sera sur ton cœur : alors je l'embrasse, je le hume, je le couvre de mes larmes et de mes soupirs. Qu'il te les apporte, mon âme adorée, qu'il t'en communique le feu tout vif : mon amour est si grand qu'il faudra l'éternité...* »

Simon s'interrompit. Françoise, à présent souriante et détendue, lui parut en même temps bien inerte. Il se pencha vers elle, aperçut ses yeux, lui ferma les paupières... Il n'appela pas tout de suite au secours.

— « *Mon amour est si grand qu'il faudra l'éternité pour l'étancher,* acheva-t-il, la gorge nouée. *Écris-moi, Françoise, ne reste pas sans me répondre.*

« *Ton Gautier pour la vie.* »

Il replia le papier bleuté et le remit, toujours aussi délicatement, dans la paume de sa destinataire.

❋

Dehors, Simon fut bousculé par une farandole endiablée de jeunes villageois, grimés et masqués. Leurs rires d'enfants insouciants le rassérénèrent. En se remettant en selle, il songeait à leur avenir, à leurs querelles futures, à leurs amours en germe, à leur propre mort… Nombre d'entre eux connaîtraient le siècle suivant… Ils avaient la vie devant eux, et tout le temps du monde.

Quelques notes

En comparant ce troisième volet aux deux précédents, un lecteur attentif remarquera la place éminente accordée, cette fois-ci, aux personnages imaginaires de la série. Dans La Régente noire, *puis dans* Les Fils de France, *l'essentiel du récit se concentrait autour de figures historiques plus ou moins connues ; alors que* Madame Catherine *fait la part belle aux aventures de la famille de Coisay – purement imaginaire – ainsi qu'aux turpitudes de deux personnages dont la chronique n'a presque rien retenu : le régicide Caboche et le conjuré La Renaudie.*

Cela ne signifie pas que j'ai pris des distances à l'égard de l'Histoire. Bien au contraire, l'ensemble de l'ouvrage, jusque dans ses parties romanesques, peut être regardé comme une tentative d'expliciter et de rendre logique ce que l'on peut savoir de la période.

Prologue

J'ai axé le prologue sur l'anecdote rapportée par Ivan Cloulas dans sa biographie d'Henri II, mettant aux prises la nouvelle duchesse de Valentinois et un ouvrier-tailleur réformé. Il m'a paru, en effet, qu'elle reflétait et condensait ce qui fait le sujet de ce volume : la résistance des « hérétiques » à la persécution.

CHAPITRE I

« La magnificence et la galanterie n'ont jamais paru en France avec tant d'éclat que dans les dernières années du règne d'Henri second. Jamais cour n'a eu tant de belles personnes et d'hommes admirablement faits » *écrivait, au siècle suivant, Mme de La Fayette. J'ai voulu, dès ce premier chapitre, rendre sensible le contraste entre l'opulence de cette cour et la dureté des temps.*

L'affaire de la liaison du roi avec lady Fleming est authentique ; mais c'est moi qui ai fait de Caboche un espion des Guises et de Diane. On ne sait presque rien, en vérité, de ce personnage incident de l'Histoire – même son prénom nous est inconnu.

1. Le petit prince Charles-Maximilien avait été baptisé ainsi en hommage à son oncle Charles, duc d'Orléans, mort à l'abbaye de Foresmontiers en septembre 1545, et à l'archiduc Maximilien d'Autriche, neveu de l'empereur – on était alors en paix avec Charles Quint... Cet enfant deviendra le roi Charles IX, et régnera de 1560 à 1574.

2. Marie Stuart, née en 1542, était la fille du roi Jacques V d'Écosse, qui ne lui survécut que quelques jours, et de Marie de Lorraine, sœur du duc de Guise, du cardinal de Lorraine, etc. Reine au berceau, elle avait cinq ans seulement lorsque sa mère, pour la protéger des troubles

en Écosse, accepta de l'envoyer en France dans la perspective de fiançailles avec le dauphin François. Elle accosta donc à Roscoff le 7 août 1548, et gagna dans la foulée une cour qui l'accueillit à bras ouverts et fit bientôt d'elle une sorte de mascotte.

3. Giammaria del Monte, ancien préfet de Rome, cardinal-évêque de Palestrina, avait été le premier président du concile de Trente. Au conclave réuni fin 1549, il bénéficia de la rivalité entre le parti des Impériaux, celui des Farnèse et celui des Français ; les deux derniers se mirent finalement d'accord sur son nom, au détriment du cardinal Jean de Lorraine qui ne survécut guère à son échec. Mais Jules III ne tarda pas à se retourner contre Ottavio Farnèse, et à soutenir l'empereur dans son intention de ramener le concile à Trente.

4. Dix-neuvième concile œcuménique réuni par l'Église catholique, le concile de Trente, un des plus importants de son histoire, avait été convoqué par Paul III en 1542, et ouvert officiellement en décembre 1545 dans la cathédrale de Trente, ville impériale ; il devait durer dix-huit ans au total, avec pour objet principal la réaction de l'Église à la Réforme protestante. Sa première session, close en septembre 1549, avait été largement boudée par la France et ses alliés, pour protester contre la mainmise de l'empereur Charles sur les débats. *A contrario*, en mars 1547, la tentative de transfert du concile à Bologne avait provoqué la fureur de l'empereur.

5. À la fin du printemps 1548, une révolte éclata dans l'Angoumois contre la gabelle – le très impopulaire impôt sur le sel. L'Aquitaine s'y joignit bientôt. Le lieutenant Henri d'Albret ayant été assassiné, Henri II décida d'envoyer deux armées pour rétablir l'ordre ; l'une fut menée, depuis Poitiers, par François d'Aumale ; l'autre, depuis Toulouse, par le connétable de Montmorency. Bordeaux ayant ouvert ses portes à ce dernier, il y organisa une répression terrible, condamnant à mort cent quarante responsables et obligeant les Bourgeois à faire amende honorable en public.

6. Diane de France était née en juillet 1538 des amours furtives d'Henri II et d'une Piémontaise, Filippa Duci (voir *Les Fils de France*).

Chapitre II

C'est la première fois, après plus de sept cents pages, que je consacrais un chapitre entier à mes personnages de fiction. Je leur ai adjoint, tout de même, la figure historique de La Renaudie – mais en utilisant le plus largement possible les vastes lacunes de l'historiographie à son égard.

7. Léonard de Vinci, mort en 1519 au manoir du Clos-Lucé, près d'Amboise, alors encore nommé le « manoir de Cloux ».

Chapitre III

Comment faire entrer des manœuvres et des batailles, des mouvements de population, une diplomatie à l'échelle de l'Europe – le tout dans un roman volontairement subjectif et fragmentaire ? En multipliant les aperçus, les perspectives et les coups d'œil sur la plus vaste toile de fond possible. C'est ce qu'essaie d'accomplir ce chapitre, notamment.

En faisant reparaître, ici, le mage qui ouvrait le premier volet, mon intention était de souligner la continuité, les correspondances, voire les jeux d'écho qui se déploient sur l'ensemble de la série. Car, bien que chaque épisode soit conçu comme un tout, c'est à l'élaboration d'un triptyque que j'aurai consacré l'essentiel de ce travail.

8. Ces détails de toilette – parmi d'autres mentions – sont tirés du remarquable petit ouvrage de Sabine Melchior-Bonnet, *L'Art de vivre au temps de Diane de Poitiers,* publié chez Nil Éditions en 1998. On découvre au fil de ses pages érudites que le « beau temps d'Henri II » n'avait rien à envier, en fait de raffinement, aux règnes plus récents et mieux connus de Louis XIV ou de Louis XV. Et que, si la « toilette sèche » y a pour de bon remplacé les ablutions médiévales, elle ne concernait guère la dame d'Anet, fidèle à son eau de pluie...

9. Le busc était une lamelle de bois, parfois d'ivoire, glissée par paire sur le devant du corset dans une poche intérieure, étroite et longue, et qui permettait de soutenir les seins et de donner plus d'allure au buste. Il faisait un présent galant, et dans ce cas, s'ornait volontiers de poèmes ou de gravures.

10. Jules III, élu en février 1550 avec l'appui de la France, commença par s'entendre avec le

clan de son devancier Paul III Farnèse, avant de tourner casaque et de reprendre Parme au duc Ottavio. Il fallut la trêve du printemps 1552 avec la France pour que ce dernier retrouve son duché. Quant au pape, dégoûté de la politique, il se retira au palais de San Marco, dont il sortit désormais le moins possible... Il s'était entiché d'un montreur de singe de quatorze ans, Innocenzo, qu'il fit adopter à quinze par son frère Baudouin del Monte, et nomma cardinal à dix-sept.

11. Diane de France avait été légitimée en 1548, et fiancée au jeune Horace Farnèse, petit-fils du pape Paul III, de sept ans plus âgé.

CHAPITRE IV

Il ne manquera pas de lecteurs, je le crains, pour regretter que j'aie osé, si tôt, mener mon protagoniste au bûcher. Mais c'était un moyen que j'ai cru efficace de faire mieux sentir la violence et l'arbitraire de cette répression religieuse.

12. C'est la correspondance de Tomaso Zerbinato à son maître qui nous permet de connaître les détails de cette scène. En vérité, la lettre est datée de septembre 1553, soit environ dix mois plus tôt.

13. Françoise de Brézé, l'aînée des filles de Diane, avait épousé Robert de La Marck, duc de Bouillon, fait prisonnier en 1553 par les Impériaux, lors de la prise du château de Hesdin. Quant à la cadette, Louise, elle avait épousé

Claude de Guise, duc d'Aumale, fait prisonnier à Parme en 1551.

14. Cette page et celles qui suivent s'inspirent largement du remarquable ouvrage de David El Kenz, *Les Bûchers du roi, la culture protestante des martyrs, 1523-1572*, publié en 1997 aux éditions Champ Vallon.

15. Les chevau-légers, créés en 1498, étaient équipés et armés plus légèrement que les autres corps de cavalerie. Pour le reste, ils remplissaient les mêmes missions.

16. Ce corps, créé en 1337, était placé sous les ordres du connétable de France. En temps de paix, il assurait aussi des missions d'ordre public.

CHAPITRE V

Un épisode diplomatique comme la paix de Vaucelles mériterait, à lui seul, un gros ouvrage. Une fois encore, il ne s'agit pas ici d'en faire ressortir tous les tenants et aboutissants, mais plutôt de le prendre pour toile de fond, pour contexte d'une action bien plus resserrée.

L'allusion aux Pardaillan *n'est pas neutre ; quoique d'une autre veine, le roman-fleuve de Zévaco a pu m'inspirer une certaine façon de traiter mes personnages.*

17. Les frères convers sont les membres non-clercs d'une communauté religieuse. Ils sont généralement en charge du service domestique du monastère, et notamment des travaux agri-

coles. Bien qu'ils suivent la règle, ils n'ont pas voix au chapitre, c'est-à-dire qu' ils ne donnent pas leur avis sur les grandes décisions. Astreints à un certain nombre d'offices, ils ont cependant moins d'obligations spirituelles que les moines.

18. La trêve de Vaucelles fut conclue pour cinq ans, le 5 février 1556.

19. Le 25 octobre 1555, dans la grande salle du palais de Coudenberg, à Bruxelles, Charles Quint avait annoncé son intention d'abdiquer de sa souveraineté sur les dépendances non autrichiennes de la couronne d'Espagne, en faveur de son fils Philippe. Puis, le 16 janvier 1556, il devait confier ses deux couronnes d'empereur germanique et de roi d'Espagne et des Deux-Siciles, la première à son frère Ferdinand, la seconde au même Philippe. Il se retirera par la suite au palais-monastère de Yuste, près de Madrid, pour y mourir deux ans plus tard. Ces abdications allaient signer la fin, pour les Habsbourg, de leur vieux rêve d'empire universel.

20. Si l'on en croit Claude de Laubespine dans *L'Histoire particulière de la Cour de Henri II*, la lettre de Gauric serait parvenue à Blois un peu plus tôt, dès février 1556.

21. Cette affaire a été développée dans le fameux roman-feuilleton *Les Pardaillan*, de Michel Zévaco.

22. Le cardinal de Lorraine avait été nommé archevêque de Reims en 1538, alors qu'il n'était âgé que de treize ans.

23. Théodore de Bèze devait surnommer « petite Genève » le quartier bucolique de la rue des Marais, en raison de la concentration de Protestants qu'on pouvait y croiser. L'un des avantages, pour eux, de cette modeste artère tracée sur l'ancien Pré-aux-Clercs, était la double juridiction dont elle bénéficiait, certaines parcelles relevant de l'Université, les autres de l'abbaye de Saint-Germain-des-Prés.

CHAPITRE VI

Il est assez réjouissant, pour un auteur, de s'attarder pendant des pages à une affaire sentimentale, puis d'expédier en quelques lignes un événement de l'importance de la défaite de Saint-Quentin. Il faut y voir un effet de synecdoque à la limite du baroque, comme dans la fameuse composition du Lorrain, Le Débarquement de Cléopâtre à Tarse*, où la scène éponyme s'aperçoit tout juste à l'arrière-plan…*

Poussant cette logique assez loin, j'ai appelé le présent tome Madame Catherine*, tout en maintenant le personnage au second plan.*

24. C'est pour commémorer cette grande victoire, inaugurant son règne, que Philippe II ordonnera la construction du gigantesque palais-monastère de l'Escurial, dans la sierra de Guadarrama. Une légende veut que le plan du bâtiment, en forme de gril, ait été un hommage à saint Laurent – la victoire ayant été acquise le jour de la fête de ce martyr.

25. Cette sœur d'Henri II, née en 1523, ne doit pas être confondue avec sa nièce Marguerite de

France, appelée « Marguerite de Valois » ou « la reine Margot » depuis le XIXe siècle, et née trente ans après elle. Marguerite de Valois épousera Emmanuel-Philibert de Savoie en 1559.

26. Les premiers coches, ancêtres du carrosse, sont appelés « chars branlants » ; ils se composent d'une caisse ouverte, à colonnes, suspendue par un système de courroies à un châssis à quatre roues. Il en existe encore moins de dix exemplaires dans les années 1550, dont un appartient, forcément, à la reine.

27. L'hôtel de ville, en reconstruction depuis le règne de François Ier, ne serait achevé que sous celui de Louis XIII !

28. *L'Histoire des chars, carrosses*... de Ramée atteste que Diane de France fut, avec Catherine de Médicis, une des toutes premières à disposer de ce mode de locomotion.

29. Jean Cousin l'Ancien, né vers 1495, probablement fils de vigneron, avait travaillé aux grandes entrées royales quand il peignit, vers 1550 – peut-être un peu plus tard – cette allégorie de la femme tentatrice, à la fois Ève et Pandore, dans l'esprit du Titien et de l'école de Fontainebleau. Cette huile sur bois est dans les collections du Louvre depuis 1922.

30. L'édit de Compiègne, signé le 24 juillet 1557, renforçait les pouvoirs des tribunaux royaux en matière religieuse, et prévoyait la mort pour les personnes convaincues d'hérésie.

Chapitre VII

Ce chapitre est le seul qui, comme dans les volumes précédents, suive pas à pas la chronique. Il est vrai que les sources abondent sur le tragique été 1559, l'arrestation du conseiller du Bourg et la mort du roi Henri II. On ne sait rien, en revanche, de l'attitude et des réactions de Diane de Poitiers, si ce n'est sa réponse à la réclamation des joyaux, que je n'aurai fait que reprendre.

Chapitre VIII

Sans être dupe de sa partialité, je me suis beaucoup inspiré, pour ce chapitre, de L'Histoire populaire du protestantisme français, *publiée en 1894 par Noël Armand François Puaux. Il m'a semblé, en effet, qu'on ne pouvait mieux styliser qu'elle ne le fait, un événement aussi fort que le « tumulte » d'Amboise.*

31. Le dauphin François et la reine d'Écosse, Marie Stuart, s'étaient mariés le 24 avril 1558.

32. De complexion dolente, le jeune roi n'avait jamais respiré la santé. Il souffrait notamment de la mâchoire et des oreilles, et devait être emporté, après seulement dix-sept mois de règne, par une mastoïdite, inflammation très douloureuse de la muqueuse de l'os temporal.

33. Gaspard de Heu, sieur de Buy, était le beau-frère de La Renaudie. Il avait été étranglé sur ordre du duc de Guise, dans le donjon de Vincennes, le 4 septembre 1558.

34. Le terme commençait tout juste, alors, à se répandre. Son origine est incertaine ; il pourrait venir de l'allemand *Eidgenossen*, qui signifie « confédérés ». D'abord péjoratif, il deviendra peu à peu un titre fièrement revendiqué.

35. L'acte établi par les Guises n'envisageait l'amnistie que pour les « crimes » passés, et en exceptait, outre « ceux qui conspirent sous prétexte de religion » – entendez : les conjurés – tous les « ministres » eux-mêmes ! C'était donc une fausse concession, et qui pourtant fut regardée un temps par les Huguenots comme une avancée prometteuse.

CHAPITRE IX

Le principe « synecdotique » dont je parlais à propos du chapitre VI, a été porté loin dans le traitement allusif que je réserve au colloque de Poissy. Sans m'appesantir sur d'infinis débats théologiques, mon intention était seulement, en effet, de mettre en évidence les limites et les contradictions du naturel conciliateur de Catherine de Médicis.

36. L'amitié de ces deux hommes s'achèvera dans le sang, lorsque, en 1588, Henri III ordonnera, au château de Blois, l'assassinat du duc de Guise.

ÉPILOGUE

Personne ne sait quand, exactement, est morte Françoise de Longwy, même si l'on avance parfois la date de 1565. Diane de Poitiers, elle, a rendu l'âme le 26 avril 1566, en sa demeure d'Anet.

Plus encore que de coutume, je n'aurai cessé d'admirer, tout au long de mes recherches préparatoires, l'extrême richesse d'une époque capable de tous les retournements, et des plus grands raffinements comme des atrocités les moins racontables. Ainsi se vérifie la justesse de cet avis d'un Philippe Erlanger sur le « bon vieux temps » de Diane de Poitiers : « À observer de haut cette époque, écrivait-il, on demeure saisi par la coexistence des fastes et des supplices, des horreurs et de la beauté. Constamment, les cris des victimes semblent répondre aux rires des gens de cour, le flamboiement des fêtes se mêler à celui des bûchers. »

Remerciements

Un grand merci aux complices désormais habituels de *La Cour des Dames* : Cyrielle Claire, Yves Chaffin, Gilles Haeri et, bien sûr, Thierry Billard. Et une mention spéciale pour Patricia White et sa famille qui m'ont si bien accueilli au calme de leur Orangerie.

Découvrez les autres titres du même auteur
parus aux Éditions J'ai lu

La régente noire

Le premier opus de *La Cour des Dames*, série consacrée aux intrigues de la Renaissance. Un temps épique et fastueux où s'affirme, sous le règne de François Ier, le pouvoir d'une femme d'exception, Louise de Savoie.

N°8665

Les fils de France

Le deuxième opus de *La Cour des Dames*. Alors que François Ier règne sur une France déchirée, il est, avec ses trois fils, l'instrument de deux femmes d'exception : Anne de Pisseleu, confidente de la sœur du roi, et la légendaire Diane de Poitiers. Alliances, trahisons, passions sont au cœur de cette période tumultueuse de l'histoire de France.

N°8947

9238

Composition
NORD COMPO

Achevé d'imprimer en Espagne
par ROSÈS
le 5 mars 2010.

Dépôt légal mars 2010.
EAN 9782290024812

ÉDITIONS J'AI LU
87, quai Panhard-et-Levassor, 75013 Paris

Diffusion France et étranger : Flammarion